Cours familier de L

Volume 27

Alphonse de Lamartine

Alpha Editions

This edition published in 2023

ISBN : 9789357960496

Design and Setting By
Alpha Editions
www.alphaedis.com
Email - info@alphaedis.com

Contents

CLVIIe ENTRETIEN MARIE STUART (REINE D'ÉCOSSE) (SUITE ET FIN.)

XXIV

Le matin sema l'horreur avec le bruit de ce meurtre dans le peuple d'Édimbourg. L'émotion fut telle, que la reine crut devoir quitter Holyrood et se réfugier dans la citadelle. Elle fut insultée par les femmes en traversant les rues; des affiches vengeresses couvraient déjà les murs, invoquant la paix sur l'âme de Darnley, la vengeance du ciel sur sa criminelle épouse. Bothwell, à cheval, l'épée à la main, parcourut au galop les rues en criant: «*Mort aux séditieux et à ceux qui parlent contre la reine*!» Knox monta pour la dernière fois à la tribune sans se laisser intimider, et s'écria: «Que ceux qui survivent parlent et vengent!» Puis il secoua la poussière de ses pieds, sortit d'Édimbourg et se retira au milieu des bois, dans une cabane de bûcheron, pour attendre ou le supplice ou la vengeance!

XXV

Telle fut la mort de Darnley; jusque-là on pouvait soupçonner la reine, on ne pouvait la convaincre. La suite ne laissa aucun doute sur sa participation. En épousant le meurtrier, elle adoptait le crime.

La sédition une fois calmée, elle afficha dans Holyrood la douleur avec le deuil d'une épouse. Elle resta quatorze jours enfermée dans ses appartements, sans autre clarté que celle des lampes. Bothwell fut accusé de régicide devant les juges d'Édimbourg par le comte de Lennox, père du roi. Le favori, soutenu par son audace, par la reine et par les troupes toujours dévouées à celui qui règne, parut en arme devant les juges et imposa insolemment l'absolution; il montait ce jour-là un des chevaux favoris de Darnley, que le peuple reconnut avec horreur sous son assassin. La reine, de son balcon, lui fit un geste d'encouragement et de tendresse. L'ambassadeur de France surprit ce geste et transmit à sa cour l'indignation qu'il en ressentit.

XXVI

«La reine est folle, écrit, à la même époque, un des témoins de ces scandales de passion, tout ce qui est infâme domine maintenant à cette cour, que Dieu nous sauve! Bientôt la reine épousera Bothwell; elle a bu toute honte: «Peu m'importe, disait-elle hier, que je perde pour lui, France, Écosse, Angleterre! Plutôt que de le quitter, j'irai au bout du monde avec lui en jupon blanc.» Elle ne s'arrêtera pas qu'elle n'ait tout ruiné ici; on lui a persuadé de se laisser enlever par Bothwell pour accomplir plus tôt leur mariage; c'était chose concertée entre eux avant le meurtre de Darnley dont elle est la conseillère et lui l'exécuteur.»

C'était le langage d'un ennemi, mais l'événement justifia bientôt après la prophétie de la colère. Quelques jours après, le 24 avril, comme elle revenait de Stirling, où elle avait été visiter son fils élevé loin d'elle, Bothwell, avec un groupe de ses amis en armes, l'attendit au pont d'Almondbridge. Il descendit de cheval, prit respectueusement la bride de celui de la reine, feignit une légère violence, et la conduisit, captive volontaire, dans son château de Dunbar, dont il était gouverneur comme lord des frontières. Elle y passa huit jours avec lui, comme si elle eût subi le rapt et la violence, et revint le 8 mai avec lui à Édimbourg, résignée désormais, disait-elle, à épouser par consentement celui qui avait disposé d'elle par force. Cette comédie ne trompa personne, mais sauva à Marie Stuart la honte d'épouser par choix l'assassin de son mari. Bothwell, indépendamment du sang qui tachait ses mains, avait trois autres femmes vivantes. Il en fit disparaître deux par or ou par menaces, et divorça avec la troisième, lady Gardon, sœur de lord Huntly. Il consentit, pour obtenir le divorce, à se laisser condamner pour adultère. Les poésies de Marie Stuart adressées à cette époque à Bothwell, prouvent sa jalousie contre cette femme répudiée, mais encore aimée:

. . . .
. . . Ses paroles fardées,
Ses pleurs, ses plaincts remplis de fiction,
Et ses hauts cris et lamentation,
Ont tant gagné que par vous sont gardées
Ses escrits où vous donnez encor foy.
Aussi l'aymez, et croyez plus que moy.

Vous la croyez, las! trop je l'apperceoy,
Et vous doubtez de ma ferme constance.
Ô mon seul bien et ma seule espérance,
Et ne vous puis asseurer de ma foy.
Vous m'estimez légère que je voy,
Et si n'avez en moy mille asseurence,
Et soupçonnez mon cœur sans apparence,
Vous défiant à trop grand tort de moy.
Vous ignorez l'amour que je vous porte,
Vous soupçonnez qu'aultre amour me transporte,
Vous estimez mes paroles du vent,
Vous dépeignez de cire, hélas! mon cueur,
Vous me pensez femme sans jugement,
Et tout cela augmente mon ardeur.

. . . .
Mon amour croist, et plus en plus croistra,
Tant que vivray . . . .
. . . .

Comment, après de tels aveux, gravés pour l'immortalité poétique, calomnier une reine qui se calomnie ainsi de sa propre main?

Elle ne refusait à Bothwell qu'une chose: la tutelle et la garde de son fils enfermé à Stirling. Des luttes terribles et retentissantes eurent lieu à Holyrood, la veille même de la cérémonie du mariage, entre la veuve et l'assassin du mari. L'ambassadeur de France en avait entendu le bruit. Bothwell avait insisté; la reine, obstinée dans sa résistance, avait demandé à grands cris un poignard pour se tuer. «Le lendemain, à la cérémonie, écrit l'ambassadeur, je m'aperçus d'étranges nuages de physionomie entre elle et son mari, ce qu'elle me voulut excuser en me disant que, si je la voyais triste, c'était pour ce qu'elle n'avait pas sujet de se réjouir, ne désirant que la mort!»

L'expiation commençait, mais l'amour consumait plus que l'ennui. Son ami Bothwell fut roi. Une ligue d'indignation, formée entre les grands d'Écosse contre elle et Bothwell, se noua contre les deux régicides. Les lords, confédérés pour venger le trône ensanglanté et déshonoré, se rencontrèrent, le 13 juin 1567, en face des troupes de Bothwell et de la reine, à Corberry-hill; le courage avait abandonné leurs partisans avant la bataille. Ils furent défaits; Bothwell, couvert de sang, rapprocha son cheval de celui de la reine, au moment où tout espoir de fuite était déjà perdu pour eux. «Sauvez votre vie, lui dit la reine, il le faut pour moi; nous nous retrouverons dans un temps plus heureux!» Bothwell voulait mourir. La reine insistait avec larmes. «Me garderez-vous fidélité, Madame, lui dit-il avec un accent de doute, comme à un mari et à un roi?—Oui! dit la reine, et, en signe de ma promesse, voici ma main!» Bothwell porta la main à ses lèvres et la baisa, puis il s'enfuit, suivi seulement de douze cavaliers, vers Dunbar.

Les lords la conduisirent prisonnière à la citadelle d'Édimbourg. En traversant l'armée, elle fut couverte des imprécations des soldats et du peuple. La soldatesque agitait devant son cheval un drapeau sur lequel était représenté le cadavre de Darnley, couché à côté de son page dans le verger de Kirkoldfield, et le petit roi Jacques à genoux, invoquant le ciel contre sa mère et contre l'assassin de son malheureux père. Arrivée à Édimbourg, elle parut reprendre courage dans l'excès de son humiliation. «Elle parut, dit la *Chronique d'Édimbourg*, à sa fenêtre qui donne sur Hightgat, s'adressant au peuple d'une voix forte et disant comment elle avait été jetée en prison par ses propres sujets qui l'avaient trahie; elle se présenta plusieurs fois à la même fenêtre, dans un misérable état, ses cheveux épars sur ses épaules et sur son sein; le corps nu et découvert presque jusqu'à la ceinture. «Par cette main royale,» dit-elle à lord Ruthven et à Lindsay, qui avaient aidé au meurtre jamais pardonné de son premier favori, Rizzio, «j'aurai vos têtes, tôt ou tard!» Puis d'autres fois, s'attendrissant et prenant avec eux l'accent de suppliante: «Cher Lethington,» disait-elle à ce conseiller de Murray, «toi qui as le don de persuader, parle aux lords, et dis-leur que je leur pardonne à tous, s'ils consentent à me réunir sur un vaisseau avec Bothwell, avec celui que j'ai épousé de leur consentement dans Holyrood, et s'ils nous laissent aller au hasard des flots, où le vent et la mer nous conduiront.» Elle écrivait les lettres les plus passionnées à Bothwell, lettres interceptées aux portes de sa prison par ses geôliers.» Enfin, on la conduisit, sous une faible escorte, tant le pays lui était hostile, au château de Lochleven, appartenant aux Douglas. Lady Douglas, qui l'habitait, avait été la rivale de Marie Stuart à la main du roi d'Écosse. Le château situé au pied du Ben Lomond, haute montagne d'Écosse, était construit au milieu d'un lac qui battait ses murs et qui interceptait toute fuite. Elle y fut traitée par les Douglas avec les respects dus à son rang et à ses revers. La reine Élisabeth parut voir avec alarme le triomphe de la révolte contre une reine. Elle s'entendit avec le comte de Murray pour que ce frère de Marie Stuart, respecté des deux partis, reprît le gouvernement pendant la captivité de la reine. Murray vint à Lochleven conférer avec sa sœur captive sur le sort du royaume et de Jacques, l'héritier enfant du trône. Elle le vit avec espérance saisir une autorité qu'elle crut avec raison plus indulgente pour elle. Elle apprit par lui la fuite de Bothwell dans les îles Shetland d'où il s'était embarqué pour le Danemark, pour y reprendre, avec ses anciens écumeurs de mer, la vie de pirate et de brigand, seul refuge que lui laissait sa fortune.

Nous le verrons achever, dans la captivité et dans la démence, une vie passée tour à tour dans l'opprobre et sur le trône, dans les exploits et dans les assassinats. L'âme de la reine ne pouvait s'en détacher.

Elle tenta plusieurs fois de s'échapper de Lochleven pour le rejoindre ou pour se réfugier en Angleterre. L'historien que nous citons et qui a visité ses ruines décrit ainsi cette première prison de la reine:

«Ce séjour de Lochleven, sur lequel le roman et la poésie ont répandu des lueurs si charmantes, l'histoire plus vraie ne peut le peindre que dans sa nudité et dans ses horreurs. Le château, ou plutôt le fort, n'était qu'un bloc massif de granit, flanqué de deux lourdes tours, peuplé de hiboux et de chauves-souris, éternellement noyé dans la brume, défendu par les eaux du lac. C'est là que gémissait Marie Stuart, opprimée sous les violences des lords presbytériens, déchirée par le remords, troublée par les fantômes du passé et par les terreurs de l'avenir.»

Elle y portait dans son sein un fruit de son criminel amour; elle y mit au monde une fille qui mourut ignorée, dans un couvent de femmes, à Paris.

L'ambassadeur d'Élisabeth en Écosse, Drury, raconte ainsi à sa souveraine sa dernière tentative d'évasion:

«Vers le 25 du mois dernier (avril 1568), elle faillit s'échapper, grâce à sa coutume de passer toutes les matinées dans son lit. Elle s'y prit ainsi: la blanchisseuse vint de bonne heure, ce qui lui était déjà arrivé plusieurs fois; et la reine, suivant ce qui avait été convenu, mit la coiffe de cette femme, se chargea d'un paquet de linge, et se couvrant la figure de son manteau, elle sortit du château et entra dans la barque qui sert à passer le loch. Au bout de quelques instants, un des rameurs dit en riant: «Voyons donc quelle espèce de dame nous avons là?» Il voulait en même temps découvrir son visage. Pour l'en empêcher, elle leva les mains. Il remarqua leur beauté et leur blancheur, qui firent aussitôt soupçonner qui elle était. Elle parut peu effrayée. Elle ordonna, sous peine de la vie, aux mariniers de la conduire à la côte; mais, sans faire attention à ses paroles, ils ramèrent aussitôt en sens contraire, lui promettant le secret, surtout envers le lord à la garde duquel elle était confiée. Il semble qu'elle connaissait le lieu où, une fois débarquée, elle se serait réfugiée, car on voyait et l'on voit encore rôder dans un petit village nommé Kinross, près des bords du loch, George Douglas, avec deux serviteurs de Marie, jadis très-dévoués et paraissant l'être toujours.»

George Douglas, le plus jeune des fils de cette maison, était en effet éperdument épris de la captive; le fanatisme de la beauté, de la pitié, du rang, le dévouait à tous les hasards, pour lui rendre la liberté et le trône. Il s'entendait par des signaux avec les Hamilton et d'autres chefs montagnards, qui épiaient sur le rivage opposé à Lochleven, l'heure d'une entreprise en faveur de la reine. Le signal convenu de la fuite qui consistait dans un feu nocturne, allumé sur la plus haute plate-forme des tours du château, brilla enfin aux regards des Hamilton; bientôt une barque inaperçue, voguant sur le lac et abordant la rive, leur livra la reine fugitive. Ils se jetèrent à ses pieds, l'entraînèrent dans leurs montagnes, levèrent leurs vassaux catholiques, lui formèrent une armée, révoquèrent son abdication, combattirent sous ses yeux pour sa cause, à Longside, contre les troupes de Murray, et furent vaincus une seconde fois. Marie Stuart, sans asile et sans espérance, s'enfuit en Angleterre, où les lettres d'Élisabeth lui faisaient croire à l'accueil que les rois doivent aux rois.

«Je vous supplie, écrivit-elle, des frontières du Cumberland, à Élisabeth, de m'envoyer chercher le plus tôt possible que vous pourrez, car je suis en pitoyable état, non-seulement pour une reine, mais pour une gentille femme. Je n'ai chose au monde que ma personne, telle que je me suis sauvée, faisant soixante milles à travers champs le premier jour, et n'ayant depuis jamais osé aller que la nuit... Faites-moi connaître aujourd'hui la sincérité de votre naturelle affection vers votre bonne sœur, cousine et jurée amie. Souvenez-vous que je vous ai envoyé mon cœur sur une bague, et maintenant je vous apporte le vrai cœur et le corps avec, pour plus sûrement nouer ce nœud d'amitié entre nous!..»

XXVII

On voit par le ton de cette lettre, si différent des jactances de Marie Stuart, quand elle menaçait Élisabeth de déchéance, et l'Angleterre d'invasion des Écossais catholiques, combien son âme et sa langue savaient se plier aux temps. Élisabeth avait à choisir entre deux politiques: l'une magnanime qui consistait à accueillir et à relever sa cousine vaincue; l'autre, franchement ennemie, qui consistait à profiter de ses revers et à la détrôner une seconde fois, par son éclatante réprobation; elle en choisit une troisième, indécise, dissimulée, caressante en paroles, odieuse en actions, laissant tour à tour l'espérance ou le désespoir, user dans l'attente le cœur de sa rivale, comme si elle eût voulu charger la douleur, l'angoisse et le temps d'être ses bourreaux. Cette reine, grande par le génie, mesquine par le cœur, cruelle par la politique et encore plus par ses jalousies féminines, était la digne fille d'Henri VIII, dont chaque passion s'assouvissait dans le sang. Elle ouvrit à Marie Stuart le château de Carlisle, comme un asile royal, et elle le referma sur elle comme une prison. Elle lui répondit qu'elle ne pourrait convenablement traiter Marie en reine d'Écosse et en sœur, qu'après qu'elle se serait lavée des crimes que lui imputaient ses sujets d'Écosse. Elle évoqua ainsi, à son tribunal de reine étrangère, ce grand procès entre Marie Stuart et son peuple. Son intervention en Écosse dont elle tenait la reine dans ses mains, et dont le régent Murray avait tout à espérer ou à craindre, devenait toute-puissante par cette attitude d'Élisabeth; elle allait régner en arbitre et sans troupes sur ce royaume. Sa politique conseillée, dit-on, par le grand ministre Cécil, était ignoble, mais elle était anglaise. Honorer Marie Stuart, c'était amnistier l'assassinat de Darnley, le mariage avec Bothwell, la royauté de l'adultère. La restaurer sur le trône d'Écosse, c'était offenser mortellement l'Angleterre protestante et la moitié presbytérienne de l'Écosse. Rendre la liberté à Marie Stuart, c'était livrer à l'Espagne, à la France, à la maison catholique d'Autriche, le levier tout-puissant, à l'aide duquel ces puissances remueraient l'Écosse pour la donner au papisme. Ces pensées étaient justes en politique, mais les avouer était humiliant pour une reine et surtout pour une femme, encore plus pour une parente. Tout le secret de la temporisation d'Élisabeth est dans cette impossibilité d'avouer une politique qui la servait, mais qui la déshonorait devant l'Europe.

«Non, Madame, lui répondit Marie Stuart du château de Carlisle, je ne suis pas venue ici pour me justifier devant mes sujets, mais pour les châtier et pour vous demander vos secours contre eux. Je ne puis ni ne veux répondre à leurs fausses accusations, mais oui bien pour amitié et bon plaisir me veux justifier envers vous de bonne volonté, non en forme de procès avec mes sujets; eux et moi ne sommes en rien compagnons égaux, et quand je devrais être tenue à perpétuité ici, encore mieux aimerais-je mourir que me reconnaître telle!»

Elle était déjà retenue ou captive en effet: l'ambassadeur d'Espagne à Londres, qui était allé lui porter les condoléances de sa cour, décrit ainsi sa demeure au château de Carliste:

«La pièce que la reine habite est obscure, écrit don Gusman de Silva, vers cette époque, à Philippe II; elle n'a qu'une seule croisée garnie de barreaux de fer. Elle est précédée de trois autres pièces gardées et occupées par des arquebusiers. Dans la dernière, celle qui fait antichambre au salon de la reine, se tient lord Scrope, gouverneur des districts de la frontière de Carlisle; la reine n'a auprès d'elle que trois de ses femmes. Ses serviteurs et domestiques dorment hors du château. On n'ouvre les portes que le matin à dix heures. La reine peut sortir jusqu'à l'église de la ville, mais toujours accompagnée de cent arquebusiers. Elle a demandé à lord Scrope un prêtre pour dire la messe. Celui-ci a répondu qu'il n'y en avait pas en Angleterre.»

Épouvantée des intentions d'Élisabeth, Marie Stuart implora la France. Elle oublia sa sourde haine contre Catherine de Médicis et lui écrivit; elle écrivit au roi Charles IX et au duc d'Anjou pour leur demander de la secourir.

Elle écrivit au cardinal de Lorraine dans le même but.

De Carlisle, 21 juin 1568.

«Je n'ay de quoy achetter du pain, ny chemise, ny robe.

«La royne d'icy m'a envoyé ung peu de linge et me fournit un plat. Le reste je l'ai empruntay, mais je n'en trouve plus. Vous aurez part en cette honte. Sandi Clerke, qui a resté en France de la part de ce faulx bastard (Murray), s'est vanté que vous ne me fourniriez pas d'argent et ne vous mesleriez de mes affaires. Dieu m'esprouve bien. Pour le moins assurez-vous que je mourray catholique. Dieu m'ostera de ces misères bien tost. Car j'ai souffert injures, calomnies, prison, faim, froid, chaud, fuite sans sçavoir où, quatre-vingt et douze milles à travers champs sans m'arrester ou descendre, et puis couscher sur la dure, et boire du laict aigre, et manger de la farine d'aveine sans pain, et suis venue trois nuits comme les chahuans, sans femme, en ce pays, où, pour récompense, je ne suis gueres mieulx que prisonnière. Et cependant on abast toutes les maisons de mes serviteurs et je ne puis les ayder, et pend-on les maistres, et je ne puis les recompenser; et toutes foys tous demeurent constantz vers moy, abhorrent ces cruels traistres, qui n'ont trois mil hommes à leur commandement, et si j'avais secours, encores la moytié les laisserait pour seur. Je prie Dieu qu'il me mette remède, ce sera quand il luy plaira, et qu'il vous donne santé et longue vie.

«Votre humble et obéissante niepce,

«MARIE, R.»

Le silence d'Élisabeth la glaçait d'effroi; elle s'abaissait jusqu'à la câlinerie féminine pour lui arracher un mot:

«De Carliste, 5 juillet 1568.

«...... Ma bonne sœur.... Je penseroys vous satisfaire en tout, vous voyant. Hélas! ne faites comme le serpent qui se bouche l'ouye: car je ne suis un enchanteur, mais vostre sœur et cousine... Je ne suis de la nature du basilic, ny moins du caméléon, pour vous convertir à ma semblance, quand bien je seroye si dangereuse et mauvaise que l'on dit, et vous estes assez armée de constance et de justice, laquelle je requiers à Dieu, et qu'il vous donne grace d'en bien user avecques longue et heureuse vie.

«Vostre bonne sœur et cousine,

«M. R.»

Les appréhensions de Marie Stuart ne pouvaient manquer de se réaliser: Élisabeth tenait à l'éloigner des Marches écossaises.

Le 28 juillet 1568, l'auguste captive, malgré ses énergiques protestations, fut conduite dans le comté d'York, au château de Bolton, qui appartenait à lord Scrope, beau-frère du duc de Norfolk.

Transportée au château de Bolton, maison des ducs de Norfolk, elle écrit d'un style bien différent à la reine d'Espagne, femme de Philippe II:

«Si j'avais de vous et des rois, vos parents, espérance de secours, lui dit-elle, je mettrais la religion ici *subs* (c'est-à-dire je ferais triompher le catholicisme) ou je mourrais à la peine. Tout ce pays où je suis est entièrement dédié à la foi catholique, et à cause de cela et de mon droit que j'ai, à moi, sur ce royaume, il faudrait peu de chose pour apprendre à cette reine d'Angleterre de se mêler d'aider les sujets rebelles contre leurs princes! Au reste, vous avez des filles, Madame, et j'ai un fils.....; la reine Élisabeth n'est pas fort aimée d'aucune des deux religions, et Dieu merci, j'ai gagné une bonne partie des cœurs des gens de bien de ce pays-ci depuis ma venue, jusqu'à hasarder tout ce qu'ils ont pour moi et pour ma cause!... Gardez-moi bien secret, car il m'en coûterait la vie!... J'ai la fièvre de cette lettre.»

On voit que, dès les premiers jours de son séjour en Angleterre, en caressant d'une main Élisabeth, elle nouait de l'autre, avec l'étranger et avec ses propres sujets, la trame dans laquelle elle finit par se prendre elle-même. La captivité était son excuse, la religion son prétexte, le malheur son droit; mais, si elle pouvait alléguer son infortune, elle ne pouvait, sans mentir, alléguer son innocence. Elle ne cessait de demander à Madrid et à Paris des interventions armées contre l'Écosse et contre Élisabeth. Sa vie entière, pendant sa captivité, ne fut qu'une longue conjuration. La politique inhumaine et déloyale de la reine d'Angleterre la justifiait de sa propre duplicité.

XXVIII

Le récit circonstancié de cette captivité et de cette conspiration de dix-neuf ans, intéressant dans une vie, est monotone pour l'histoire. Rien ne les diversifie que les sites de ces prisons et les trames toujours renaissantes et toujours coupées de la reine captive.

On ouvrit à Hamptoncourt, palais de Henri VIII, des conférences pour juger le procès de Marie Stuart avec ses sujets. Murray et les Écossais y produisirent les preuves de la complicité de Marie Stuart dans le meurtre de son mari, ses sonnets d'amour à Bothwell, les lettres de ce favori renfermées dans une cassette d'argent ciselé aux armes de son premier mari François II.

«Voudriez-vous donc épouser ma sœur d'Écosse? demanda un jour ironiquement Élisabeth au duc de Norfolk, qu'on croyait épris de sa prisonnière.—Madame, répondit le duc soulevé d'horreur par ces témoignages, je n'épouserai jamais une femme dont le mari ne peut dormir en sécurité sur son oreiller.»

Ni les accusations, ni les justifications ne paraissant satisfaisantes, Élisabeth rompit les conférences sans prononcer de jugement. Témoin de la lutte entre les différentes factions qui déchiraient l'Écosse, tout indique qu'elle s'en rapporta à ces factions pour lui livrer tôt ou tard leur pays; elle parut l'abandonner à son sort.

XXIX

Murray, tuteur de l'enfant roi Jacques et dictateur du royaume, gouvernait avec adresse et vigueur ce malheureux pays. Un noble proscrit de la famille des Hamilton, nommé Bothwell-Haugh, dont Murray avait laissé la femme expirer de misère au seuil de sa propre demeure donnée par le dictateur à un de ses partisans, jura de venger sa femme et sa patrie du même coup; il ramassa une poignée de terre qui recouvrait le cercueil de sa femme, la porta sur lui dans sa ceinture comme une éternelle incitation à sa vengeance, se rendit déguisé dans une petite ville que Murray devait traverser en revenant à Édimbourg; il y tua Murray d'un coup de feu tiré d'un balcon, et, remontant sur un cheval qui l'attendait sur les derrières de la maison, il échappa, par la rapidité de sa course, aux gardes du dictateur. «Moi seul, s'écria Murray en expirant, je pouvais sauver l'Église, le royaume et l'enfant; l'anarchie va tout dévorer!...»

Son assassin passa en France et fut bien accueilli des Guise; ils virent en lui un instrument de meurtre propre à les délivrer de leur adversaire, l'amiral de Coligny. Ils s'adressèrent à leur nièce, Marie Stuart, pour obtenir d'elle qu'elle encourageât Bothwell-Haugh à ce forfait. La réponse de Marie Stuart a toute l'impudeur d'un temps où l'assassinat s'avouait comme un exploit de la haine.

«..... Quant à ce que vous m'écrivez, dit-elle, de mon cousin, M. de Guise, je vouldray qu'une si meschante créature, que le personnage dont il est question (M. l'amiral), fust hors de ce monde, et seroy bien ayse que quelqu'un qui m'appartienst en fust l'instrument, et encore plus qu'il fust pendu de la main d'un bourreau, comme il a mérité; vous sçavez comme j'ai cela à cueur..... Mais de me mesler de rien commander à cest endroit, ce n'est pas mon mestier.

«Ce que Bothwelhach (Bothwell-Haugh) a faict, a esté sans mon commandement; de quoi je lui sçay aussi bon gré et meilleur, que si j'eusse esté du conseil.....»

Murray était son frère, et avait été deux fois son ministre et son salut contre les vengeurs de Darnley. Élisabeth le pleura comme le protecteur de la religion réformée en Écosse. L'anarchie lui succéda comme il l'avait pressenti en mourant. Le comte de Lennox, père de Darnley, beau-père de Marie, aïeul de Jacques, fut nommé régent. Le parti de Jacques, fils de Marie Stuart, et le parti de sa mère luttèrent de forfaits; Lennox fut tué en combattant; le comte de Morton prit la régence à sa place; il régna en bourreau, le fer à la main; il anéantit le parti de la reine par la terreur d'un gouvernement, qui prépare des reflux de sang. À peine avait-il remis le royaume au roi son pupille, que les favoris du jeune roi le firent supplicier comme complice du meurtre de Rizzio. Il ne nia point le crime, et mourut en homme qui s'attendait à l'ingratitude du prince. Le fils de Marie, Jacques II, avait été nourri par lui dans l'horreur de la religion de sa mère et dans le mépris de sa mère elle-même.

XXX

Pendant cette minorité en Écosse, Marie Stuart conspirait avec le comte de Norfolk, qu'elle avait de nouveau fasciné, pour soulever l'Angleterre au nom du catholicisme. Les correspondances avec Rome, découvertes par d'infidèles agents, furent les preuves de la conspiration; Norfolk monta sur l'échafaud; Marie fut resserrée dans une captivité plus étroite. Élisabeth commença à sentir le danger de garder dans ses châteaux une magicienne dont tous les geôliers devenaient les adorateurs et les complices.

Les massacres de la Saint-Barthélemy, ces vêpres siciliennes de la religion et de la politique, firent frémir Élisabeth. L'exemple de cette conjuration triomphante pouvait tenter les catholiques d'Angleterre; ils avaient une autre Catherine de Médicis, plus jeune et aussi peu scrupuleuse que la reine mère et Charles IX.

Les conseillers d'Élisabeth lui représentèrent pour la première fois la nécessité du jugement de la reine d'Écosse et de sa mort pour la paix du royaume, et peut-être pour la sécurité de sa propre vie. Burleigh, Leicester, Walsingham, ses hommes d'État, furent unanimes à lui conseiller ce sacrifice.

«Hélas! leur répondait Élisabeth avec hypocrisie, la reine d'Écosse est ma fille; mais celle qui ne veut pas bien en user avec sa mère, mérite d'avoir une marâtre!»

Des malignités féminines impardonnables, faites par Marie Stuart à Élisabeth, aigrirent encore les sentiments et les rapports entre les deux reines. L'histoire ne les croirait pas si elle n'en avait les preuves écrites dans ses archives. Sachant la prédilection équivoque d'Élisabeth pour son beau favori Leicester, qu'elle avait espéré elle-même séduire, et avec lequel elle entretenait un commerce de lettres, elle eut l'audace de railler sa rivale, sur l'infériorité des charmes qu'Élisabeth pouvait offrir à ce favori.

Sous prétexte de récriminer contre la comtesse de Shrewsbury, qui avait accusé Marie Stuart d'avoir séduit à Scheffield son mari, Marie Stuart écrivit à Élisabeth une lettre dans laquelle elle attribue à lady Shrewsbury des propos tellement injurieux à Élisabeth, comme femme et comme reine, que le cynisme des expressions nous empêche de les citer.

Elle termine cette lettre ainsi: «Elle m'a dit que votre mort prochaine était prédite dans un vieux livre; que le règne après le vôtre ne durerait pas trois années. À ce livre il y avait ensuite un dernier feuillet, lequel elle ne m'a jamais voulu dire?»

On voit assez que ce dernier feuillet était relatif à Marie Stuart elle-même, et lui prédisait sans doute son avénement au trône d'Angleterre et la restauration de l'Église dans ce royaume! On voit aussi par les termes de cette lettre qu'elle était un moyen détourné, ingénieusement trouvé par la haine d'une rivale prisonnière, pour faire à son ennemie tous les outrages qui pouvaient être le plus sensibles au cœur d'une reine et d'une femme. On s'étonne de tant d'audace et d'insulte sous la main d'une reine captive, à qui un mot d'Élisabeth pouvait rétorquer la mort; mais la mort en ce moment était moins terrible à Marie Stuart que la vengeance ne lui était chère. Quel spectacle pour l'histoire, que celui de ces deux reines, s'avilissant à l'envi dans ces rixes acharnées où l'une provoquait le supplice, où l'autre le tenait vingt ans suspendu sur la tête de sa rivale!

XXXI

Cependant l'Europe sur laquelle Marie Stuart avait compté, l'oubliait; mais elle n'oubliait pas l'Europe. Sa détention d'abord royale s'était resserrée de plus en plus à mesure qu'elle changeait de résidence. Elle décrit en termes pathétiques, à l'envoyé de Charles IX à Londres, les disgrâces de son avant-dernière prison:

«Elle n'est que de vieille charpenterie, écrit-elle, entr'ouverte de demy pied en demy pied, de sorte que le vent entre de tous costez en ma chambre, je ne sais comme il sera en ma puissance d'y conserver si peu de santé que j'ay recouverte; et mon médecin, qui en ha esté en extresme peine durant ma diette, m'ha protesté qu'il se déchargeroit tout à fait de ma curation, s'il ne m'est pourveu de meilleur logis, luy mesme me veillant durant ma dite diette, ayant expérimenté la froydure incroyable qu'il faisoit la nuit en ma chambre, nonobstant les estuves et feu continuel qu'il y avoit et la chaleur de la saison de l'année; je vous laisse à juger quel il y fera au milieu de l'hyver, cette maison assise sur une montagne au milieu d'une plaine de dix milles à l'entour, estant exposée à tous ventz et injures du ciel... Je vous prye luy faire requeste en mon nom (à la reine Élisabeth), l'asseurant qu'il y a cent païsans en ce meschant villaige, au pied de ce chasteau, mieuz logez que moy, n'ayant pour tout logis que deux méchantes petites chambres... De sorte que je n'ay lieu quelconque pour me retirer à part, comme je peux en avoir diverses occasions, ni de me promener à couvert: et pour vous dire, je n'ay esté oncques si mal commodée en Angleterre...»

Les serviteurs écossais et les compagnes de sa fuite et de sa captivité succombaient un à un à cette longue agonie des prisons. Elle y apprit, on ne sait si ce fut avec joie ou avec douleur, la mort de son mari Bothwell; après une vie errante sur les flots de la mer du Nord, où il avait repris, comme on l'a vu, l'infâme métier de pirate, Bothwell, surpris dans une descente sur la côte de Danemark et enchaîné dans le cachot d'une prison sur un écueil, était mort dans la démence; l'excès des oscillations de sa fortune, le miracle de son élévation, l'étourdissement de sa chute avaient ébranlé sa raison. Il la reprit cependant au moment d'expirer, et, soit puissance de la vérité, soit tendresse, il dicta à ses geôliers une justification de la reine dans la mort de Darnley; il prit tout sur lui: crime et expiation. La reine fut touchée de ce dévouement posthume qui lui rendait aux yeux de ses partisans l'innocence qu'elle ne recouvra jamais aux yeux de ses ennemis. Bothwell était trop chargé de crimes pour que sa bouche, même en mourant, fût le gage d'une vérité. Mais cette attestation était du moins un gage de son amour survivant à vingt ans de séparation et de supplice.

XXXII

Les dangers que courrait la succession protestante en Angleterre si Élisabeth, qui avançait en âge et qui n'avait jamais voulu partager le trône avec un époux, venait à mourir avant Marie Stuart, paraissent avoir décidé son conseil au crime d'État que cette reine s'était refusée jusque-là à accomplir. Nul ne doutait de la conspiration permanente de la reine d'Écosse avec les princes catholiques étrangers et avec le parti catholique en Écosse et en Angleterre; cette conspiration, qui était le droit d'une reine captive, ne pouvait paraître un crime qu'aux yeux de ses geôliers et de ses persécuteurs. Ce crime n'avait pas paru suffisant jusque-là à Élisabeth et à ses plus honnêtes conseillers pour faire le procès à la reine d'Écosse. Il en fallait un plus flagrant et plus odieux pour soulever l'indignation de l'Angleterre et pour justifier le meurtre en Europe. La témérité sans scrupules de Marie Stuart et peut-être l'astuce de ses ennemis dans le conseil en fournirent l'occasion à Élisabeth.

Marie Stuart ne cessait pas de nouer et de renouer les fils des trames innombrables qui se rattachaient en elle à la cause catholique. Ses correspondances, aussi ardentes que ses soupirs, agitaient l'Écosse, l'Angleterre, le continent. Malgré son âge, sa beauté ineffaçable, sa grâce, sa séduction, son rang, son génie lui attiraient de nouveaux serviteurs dont le culte se confondait pour elle avec l'amour.

Un jeune homme du comté de Derby, nommé Babington, élevé chez le comte de Schrewsbury, où il avait connu la reine pendant qu'elle y était prisonnière, avait résolu de la servir et de la sauver. Babington avait passé sur le continent, il était à Paris l'intermédiaire des correspondances que la reine entretenait avec la France, l'Espagne, dans l'intérêt de sa délivrance et de sa restauration. La mort d'Élisabeth était le préliminaire de ce plan. Deux jésuites de Reims, nommés Allen et Ballard, ne reculèrent pas devant ce régicide; Ballard vint à Londres, chercha Babington qui y était revenu, l'embaucha pour le salut de la reine d'Écosse et embaucha par lui une poignée de conspirateurs catholiques, prêts à tout pour le triomphe de la religion. Le principal conseiller et ministre d'Élisabeth, Walsingham, avait des hommes à lui parmi ces conjurés. Un de ces espions, nommé Giffard, dont le dévouement paraissait au-dessus du soupçon à l'ambassade de France, dépôt des correspondances, recevait les lettres, feignait de les faire parvenir à leurs adresses, mais les portait préalablement à Walsingham. Ces lettres attestent quelque hésitation des conjurés sur la légitimité de l'assassinat d'Élisabeth; puis une résolution plus décidée du meurtre, d'après la consultation du père Ballard, le jésuite de Reims. Une de ces lettres, signée de Babington, disait textuellement à Marie Stuart:

«Très-chère souveraine, moy mesme avec dix gentilz hommes et cent aultres de nostre compaignie et suitte, entreprendrons la délivrance de vostre personne royalle des mains de vos ennemys.»

Marie Stuart répondait, après des remercîments et des conseils de prudence, par cette lettre qui ne laisse aucun doute sur sa participation de cœur à l'assassinat d'Élisabeth:

Nous n'en citerons que le passage sinistre relatif aux six gentilshommes chargés d'exécuter, à Londres, l'acte préliminaire de la révolution:

«..... Ces choses estant ainsy préparées, et les forces, tant dedans que dehors le royaulme toutes *prestes, il fauldra alors mettre les six gentilshommes en besoigne*, et donner ordre que *leur desseing estant effectué*, je puisse quant et quant estre tirée hors d'icy, et que toutes vos forces soyent en ung mesmes temps en campaigne pour me recevoir pendant qu'on attendra le secours estranger, qu'il fauldra alors haster en toute diligence......

Un plan détaillé de délivrance pour elle suivait cette approbation donnée si explicitement au plan du régicide sur Élisabeth.

Ces lettres remises par Giffard au conseil de cette princesse, Ballard et Babington furent arrêtés par Walsingham. Les six conjurés ne pouvaient nier le complot, car ils s'étaient fait peindre tous les six dans un tableau régicide avec cette devise écrite au bas de leurs portraits: «Nos périls communs sont le nœud de notre amitié!» Ils furent jugés et exécutés le 20 septembre avec Ballard et Babington.

XXXIII

Le supplice de ses amis fit pressentir à Marie Stuart son sort; aussi coupable et plus redoutée, elle ne pouvait l'attendre longtemps. Elle fut transférée, en effet, quelques jours après, au château de Fotheringay, sa dernière prison. Cette demeure féodale était solennelle et triste comme l'heure de la mort qui s'approchait. Élisabeth, après de longues et sérieuses hésitations devant son conseil, nomma enfin trente-six juges pour aller entendre Marie Stuart et pour faire leur rapport au conseil. La reine d'Écosse protesta contre le droit de juger une reine, et de la juger en terre étrangère où on la retenait de force dans les prisons.

«C'est donc ainsi, s'écria-t-elle en comparaissant devant les commissaires, que la reine Élisabeth fait juger les rois par leurs sujets! Je n'accepte cette place (*en montrant*) sur le gradin inférieur du siége des juges, que comme chrétienne qui s'humilie; ma place est là, dit-elle en tendant la main vers le dais, je suis reine dès le berceau, et le premier jour qui m'a vue femme m'a vue reine!» Puis, se tournant vers Melvil, son chevalier et son maître d'hôtel sur le bras de qui elle s'appuyait: «Voilà bien des juges, dit-elle, et pas un ami!» Elle nia avec force le consentement donné par elle au plan d'assassinat d'Élisabeth; elle insinua, sans le dire formellement, que des secrétaires pouvaient bien avoir ajouté au sens des lettres qu'on leur dictait. «Quand je vins en Écosse, dit-elle à lord Burleigh, chef des ministres, qui l'interrogeait, j'offris à votre maîtresse, par Lethington, une bague en cœur comme gage de mon amitié; et quand, vaincue par mes rebelles, j'entrai en Angleterre, j'avais reçu à mon tour un gage d'encouragement et de protection.» En disant ces paroles, elle tira de son doigt une bague que lui avait envoyée Élisabeth. «Regardez ce gage, milords, et répondez. Depuis dix-huit années que je suis sous vos verrous, de combien de manières votre reine et le peuple anglais ne l'ont-ils pas méconnu en ma personne?»

XXXIV

Les commissaires de retour à Londres, et rassemblés à Westminster, prononcèrent sa participation au complot contre la vie de la reine et l'arrêt de mort contre la reine d'Écosse. Les deux chambres du parlement ratifièrent la condamnation. Marie demanda pour toute grâce de n'être point suppliciée dans quelque *lieu caché*; mais devant ses domestiques et devant le peuple, afin qu'on ne lui attribuât pas une lâcheté indigne de son rang, et que tout le monde pût rendre témoignage de sa constance à souffrir le martyre; c'est ainsi qu'elle appelait déjà elle-même son supplice, consolation bien naturelle dans une reine qui voulait imputer sa mort à sa foi plutôt qu'à ses fautes. Elle écrivit à tous ses parents et à tous ses amis de France et d'Écosse.—«Mon bon cousin, disait-elle au duc de Guise, celuy que j'ay le plus cher au monde, je vous dis adieu, estant preste par injuste jugement d'estre mise à mort, telle que personne de nostre race, grasces à Dieu, n'a jamays receue, et moins une de ma qualité; mais mon bon cousin, louez-en Dieu, car j'estois inutile au monde en la cause de Dieu et de son Église, estant en l'estat où j'estois; et j'espère que ma mort tesmoignera ma constance en la foy, et promptitude de mourir pour le maintien et restauration de l'Église catholique en ceste infortunée isle; et, bien que jamais bourreau n'ait mis la main en nostre sang, n'en ayez honte, mon amy, car le jugement des hérétiques et ennemys de l'Église, et qui n'ont nulle jurisdiction sur moy, royne libre, est profitable devant Dieu aux enfants de son Église; si je leur adhérois, je n'aurois ce coup. Tous ceux de nostre maison ont tous esté persécutez par cette secte: témoin vostre bon père, avec lequel j'espère estre receue à mercy du juste Juge. Je vous recommande donc mes pauvres serviteurs, la décharge de mes dettes, et de faire fonder quelque obit annuel pour mon âme, non à vos dépens, mais faire la sollicitation et ordonnance comme sera requis, et qu'entendrez mon intention par ces miens pauvres désolez serviteurs, tesmoins oculaires de ceste mienne dernière tragédie.

«Dieu vous veuille prospérer, vostre femme, enfants et frères, et cousins, et surtout nostre chef, mon bon frère et cousin, et tous les siens; la bénédiction de Dieu et celle que je donnerois à mes enfants puisse estre sur les vostres, que je ne recommande moins à Dieu que le mien, mal fortuné et abusé.

«Vous recepvrez des *tokeus* de moy pour vous ramentevoir de faire prier pour l'âme de vostre pauvre cousine, destituée de tout ayde et conseil, que de celuy de Dieu, qui me donne force et courage de résister seule à tant de loups hurlants après moy: à Dieu en soyt la gloire!

«Croyez en particulier ce qui vous sera dit par une personne qui vous donnera une bague de rubis de ma part, car je prens sur ma conscience qu'il vous sera dit la vérité de ce que je l'ay chargée, spécialement de ce qui touche mes pauvres serviteurs et la part d'aulcun. Je vous recommande ceste personne, pour sa simple sincerité et honnesteté, à ce qu'elle puisse estre placée en quelque bon lieu. Je l'ai choisie pour la moins partiale, et qui plus simplement rapportera mes commandements. Je vous prye qu'elle ne soyt cognue vous avoir rien dit en particulier, car l'envie lui pourroit nuire.

«J'ay beaucoup souffert depuis deux ans et plus, et ne vous l'ay pu faire savoir pour cause importante. Dieu soit loué de tout, et vous donne la grasce de persévérer au service de son Église tant que vous vivrez, et jamays ne puisse cet honneur sortir de nostre race, que, tant hommes que femmes, soyons prompts de respandre nostre sang pour maintenir la querelle de la foy, tous aultres respects mondains mis à part; et, quant à moy, je m'estime née du costé paternel et maternel, pour offrir mon sang en icelle, et je n'ay intention de dégénérer. Jésus crucifié pour nous et tous les saints martyrs nous rendent, par leur intercession, dignes de la volontaire offerte de nos corps à sa gloire!

«L'on m'avoit, pensant me dégrader, fayt abattre mon days; et, depuis, mon gardien m'est venu offrir d'écrire à leur royne, disant n'avoir fait cet acte par son commandement, mais par l'avis de quelques-uns du conseil. Je leur ay monstré, au lieu de mes armes audit days, la croix de mon Sauveur. Vous entendrez tout le discours: ils ont été plus doux depuis.

Vostre affectionnée cousine et parfaitte amye,

MARIE,
R. d'Écosse, D. de France.»

Quand on lui lut la ratification de son jugement et l'ordre d'exécution signé par Élisabeth:

«C'est bien, dit-elle tranquillement; voilà la générosité de la reine Élisabeth! Aurait-on jamais cru qu'elle osât en venir à ces extrémités avec moi qui suis sa sœur, son égale, et qui ne saurais être sa sujette? Dieu soit loué de tout cependant, puisqu'il me fait cet honneur de mourir pour lui et son Église!»

Nous laissons parler sur les derniers instants de sa vie l'historien, à la fois érudit et pathétique, qui a recueilli pour ainsi dire chacun de ses derniers soupirs. La reine, jusque-là si coupable, fut transformée en martyre par l'approche de la mort. Quand l'âme est grande, elle grandit avec la destinée. Cette destinée était sublime, car elle était tout à la fois une expiation acceptée et une réhabilitation dans le sang.

«Il était nuit, raconte l'historien de Marie-Stuart. Elle entendit sans trouble ce terrible rendez-vous.

«Quand les comtes se retirèrent, Marie leur dit:

«Béni soit le moment qui terminera mon cruel pèlerinage! L'âme assez lâche pour ne pas accepter ce combat suprême sur la terre ne serait pas digne du ciel!»

«La reine rentra dans son oratoire et pria Dieu, les genoux nus sur les dalles nues; puis elle dit à ses femmes: «Je souhaiterais manger quelque chose, afin que demain le cœur ne me faillie pas, et que je ne fasse rien dont puissent rougir mes amis.» Ce dernier repas fut sobre, solennel, avec quelques éclairs d'affectueux enjouement. «Pourquoi, dit Marie à Bastien, autrefois le chef de ses bouffons, ne cherches-tu pas à m'égayer? Tu es cependant un bon mime, mais tu es un meilleur serviteur.» Revenant bientôt à cette pensée que sa mort était un martyre, et s'adressant à Bourgoing, son médecin, qui la servait, Melvil, son maître d'hôtel étant retenu aux arrêts, ainsi que Préau, son aumônier: «Bourgoing, dit-elle, n'avez-vous pas entendu le comte de Kent? Il aurait fallu un autre docteur pour me convaincre. Il a avoué, du reste, que le warrant de mon exécution était le triomphe de l'hérésie dans ce pays. C'est la vérité, reprit-elle avec une satisfaction religieuse. Ils ne me tuent pas comme complice de cette conspiration, mais comme reine dévouée à l'Église. À leur tribunal, mon crime, c'est ma foi; ce sera ma justification devant mon souverain juge.»

«Ses filles, ses officiers, tous ses gens étaient navrés et la considéraient en silence. Ils avaient peine à se contenir. Au dessert, Marie parla de son testament où pas un nom ne devait être omis. Elle demanda l'argent et les bijoux qui lui restaient. Elle les distribua de la main et du cœur. Elle adressa ses adieux à chacun avec ce tact délicat qui lui était si naturel, avec bonté, avec émotion. Elle leur demanda pardon, et pardonna aux présents et aux absents, Nau excepté. Tous alors éclatèrent en sanglots, et se jetèrent à genoux autour de la table. La reine, attendrie, but à leur santé, les invitant à boire à son salut. Ils obéirent en pleurant, et à leur tour ils burent à leur maîtresse, en portant à leurs lèvres leurs coupes où les larmes se mêlèrent avec le vin.

«La reine, affectée de ce spectacle douloureux, voulut être seule.

«Elle écrivit son testament.

«Cet écrit achevé, Marie, seule dans son cabinet avec Jeanne Kennethy et Élisabeth Curle, s'informa de ce qu'elle avait d'argent. Elle possédait cinq mille écus qu'elle sépara en autant de lots différents qu'elle avait de serviteurs, proportionnant les sommes aux rangs, aux fonctions, aux besoins. Ces lots, elle les plaça dans autant de bourses pour le lendemain.»

Elle demanda ensuite de l'eau; elle se fit laver les pieds par ses filles d'honneur.

Elle écrivit ensuite:

«. . . . . Je vous recommande encore mes serviteurs. Vous ordonnerez, s'il vous plaist, que, pour mon âme, je soys payée de partie de ce que me debvez, et qu'en l'honneur de Jésus-Christ, lequel je prieray demain, à ma mort, pour vous, me soyt laissé de quoy fonder un obit et faire les aumosnes requises.

«Ce mercredy, à deux heures après minuit.

«M. R.»

«Marie sentit la nécessité de se reposer. Elle se mit au lit. Ses femmes s'étant approchées: «J'aurois préféré, dit-elle, à cette hache une épée à la françoise.» Puis elle s'assoupit. Elle dormit un peu, et même alors, au mouvement de ses lèvres, son sommeil paraissait une prière. Son visage, pénétré d'une béatitude intérieure et comme éclairé du dedans, n'avait jamais brillé d'une beauté si charmante et si pure. Il était tellement illuminé d'un ravissement doux, tellement baigné de la grâce de Dieu, qu'il «semblait rire aux anges.» Élisabeth Curle, une de ses filles d'honneur, raconte que la reine dormit et pria; elle pria plus qu'elle ne dormit, à la lueur d'une petite lampe d'argent que Henri II lui avait donnée, et qu'elle avait gardée dans toutes ses fortunes. Cette petite lampe fut la dernière lumière de Marie dans sa prison, et comme le crépuscule de sa tombe: humble meuble tragique par les souvenirs qu'il rappelait!

«Éveillée avant le jour, la reine se leva. Sa première pensée fut l'éternité. Elle consulta l'horloge et dit: «Je n'ai plus que deux heures à vivre ici-bas.» Il était six heures du matin.»

«Elle ajouta à sa lettre au roi de France qu'elle désirait que les revenus de son douaire fussent payés après sa mort à ses serviteurs,—que leurs gages et pensions leur fussent payés leur vie durant,—que son médecin (Bourgoing)

fût reçu au service du roi,—que Didier, un vieux officier de sa bouche, conservât le greffe qu'elle lui avait donné:
«. . . . . Plus, que mon aumosnier soyt remis à son estat, et, en ma faveur, pourveu de quelque petit bénéfice pour prier Dieu pour mon ame le reste de sa vie. . . . .

«Faict le matin de ma mort, ce mercredy huictiesme février 1587.

«MARIE, Royne.»

«Une pâle aube d'hiver éclaira ces dernières lignes. Marie s'en aperçut. Elle appela Élisabeth Curle et Jeanne Kennethy. Elle leur fit signe de la revêtir de sa dernière robe, pour ce dernier cérémonial de la royauté.

«Pendant que ces mains amies l'habillaient, Marie fut silencieuse.

«Quand elle fut parée, elle passa devant l'un de ses deux grands miroirs incrustés de nacre, et sembla se considérer avec commisération. Elle se retourna et dit à ses filles: «Voici le moment de ne pas faiblir. Je me souviens que, dans ma jeunesse, monsieur mon oncle François me dit un jour à sa maison de Meudon: «Ma nièce, il y a surtout une marque à laquelle je vous reconnais de mon sang. Vous êtes brave comme le meilleur de mes hommes d'armes; et si les femmes se battaient comme aux temps anciens, j'estime que vous sauriez bien mourir.»—Il me reste à montrer, reprit-elle, à mes amis et à mes ennemis, de quel lieu je sors.»

«Elle avait demandé son aumônier Préau; on lui envoya deux ministres protestants. «Madame, nous venons vous consoler, dirent-ils en franchissant le seuil de la chambre.—Êtes-vous des prêtres catholiques? s'écria-t-elle.—Non, répondirent-ils.—Je n'aurai donc que mon Seigneur Jésus pour consolateur,» reprit-elle avec une fermeté triste; et elle les congédia.

«Elle entra dans son oratoire. Elle y avait façonné elle-même un autel, où son aumônier lui disait quelquefois la messe en secret. Là, s'étant agenouillée, elle fit plusieurs prières à demi-voix. Elle récitait les prières des agonisants, lorsqu'un coup frappé à la porte de sa chambre l'interrompit brusquement. «Que me veut-on?» demanda la reine en se levant. Bourgoing lui répondit de la chambre où il était avec les autres serviteurs, que les lords attendaient Sa Majesté.—«Il n'est pas temps encore, reprit la reine; qu'on revienne à l'heure convenue.» Alors, se précipitant de nouveau à genoux entre Élisabeth Curle et Jeanne Kennethy, elle fondit en larmes, se frappant la poitrine, rendant grâce à Dieu de tout, lui demandant avec ferveur, avec sanglots, de la soutenir durant les dernières épreuves. S'étant calmée peu à peu en essayant de calmer ses deux compagnes, elle se recueillit profondément. Que se passa-t-il dans sa conscience?. . . . .

«Puis elle alla jusqu'à sa fenêtre, regarda le paisible horizon, la rivière, la prairie, le bois; revenant au milieu de sa chambre, et jetant un coup d'œil sur son horloge appelée *la Reale*, elle dit: «Jeanne, l'heure est sonnée; ils ne tarderont pas.»

«À peine avait-elle prononcé ces mots, qu'Andrews, shériff du comté de Northampton, frappa une seconde fois à la porte. «Ce sont eux,» dit Marie; et comme ses femmes refusaient d'ouvrir, elle le leur ordonna doucement. L'officier de justice entra en habit de deuil, le bâton blanc dans la main droite, et s'inclinant devant la reine, il dit à deux reprises: «Me voici.»

«Une faible rougeur monta aux joues de la reine, qui, s'avançant avec majesté, répondit: «Allons.»

«Elle prit le crucifix d'ivoire qui ne l'avait pas quittée depuis dix-sept ans, et qu'elle avait transporté de donjon en donjon, le suspendant partout à ses oratoires de captive. Comme elle souffrait de douleurs contractées dans l'humidité de ses prisons, elle s'appuya sur deux de ses domestiques, qui la menèrent jusqu'au seuil de sa chambre. Là, ils s'arrêtèrent, Bourgoing expliqua à la reine le scrupule étrange de ses gens, qui désiraient ne pas avoir l'air de la conduire à la boucherie. La reine, bien qu'elle eût mieux aimé s'appuyer encore sur eux, condescendit à leur faiblesse et se contenta, pour la soutenir, de deux gardes de Pawlet. Alors tous les serviteurs de Marie Stuart s'acheminèrent avec elle jusqu'à la rampe supérieure de l'escalier, où les arquebusiers leur barrèrent le passage malgré leurs supplications, leur désespoir, leurs lamentations, leurs bras étendus vers leur chère maîtresse, aux traces de laquelle il fallut les arracher.

«La reine, profondément peinée, se hâta un peu dans le dessein de réclamer contre cette violence et d'obtenir une plus douce escorte.

«Sir Amyas Pawlet et sir Drue Drury, les gouverneurs de Fotheringay, le comte de Shrewsbury, le comte de Kent, les autres commissaires et plusieurs seigneurs de distinction, parmi lesquels sir Henri Talbot, Édouard et Guillaume Montague, sir Richard Knightly, Thomas Brudnell, Beuil, Robert et Jean Wingfield, la reçurent au bas de l'escalier.»

Apercevant Melvil courbé sous sa douleur:

—«Courage! lui dit-elle, mon fidèle ami, apprends de moi à te résigner.

—«Oh! Madame, s'écria Melvil en se rapprochant de sa maîtresse et en tombant à ses pieds, j'ai trop vécu, puisque mes yeux étaient réservés à vous voir la proie du bourreau, et que ma bouche devra redire à l'Écosse l'affreux supplice.» Des sanglots s'exhalèrent de sa poitrine au lieu de paroles.

—«Pas de faiblesse, mon cher Melvil! Plains ceux qui ont été altérés de mon sang et qui le répandent injustement. Mais moi, ne me plains pas. La vie n'est qu'une vallée de larmes, et je la quitte sans regret. Je meurs pour la foi et dans la foi catholique; je meurs amie de l'Écosse et de la France. Rends partout témoignage de la vérité. Encore une fois, cesse de t'affliger, Melvil, et réjouis-toi plutôt de ce que tous les malheurs de Marie Stuart vont finir. Dis à mon fils qu'il se souvienne de sa mère.»

«Pendant que la reine parlait, Melvil à genoux versait des torrents de larmes. Marie l'ayant relevé, lui prit la main et se penchant vers lui, elle l'embrassa. «Adieu, ajouta-t-elle, adieu, mon cher Melvil; ne m'oublie jamais ni dans ton cœur ni dans tes prières.»

«S'adressant ensuite aux comtes de Shrewsbury et de Kent, elle leur demanda qu'il fût fait grâce à son secrétaire Curle: Nau fut omis. Les comtes ayant gardé le silence, elle les supplia encore de permettre que ses femmes et ses serviteurs pussent l'accompagner et assister à sa mort. Le comte de Kent répondit que cela serait insolite et même dangereux; que les plus hardis voudraient tremper leurs mouchoirs dans son sang; que les plus timides, les femmes surtout troubleraient au moins par leurs cris le cours de la justice d'Élisabeth. Marie persista. «Milords, dit-elle, si votre reine était ici, votre reine vierge, elle trouverait convenable à notre rang et à notre sexe que je ne fusse pas seule pour mourir au milieu de tant de gentilshommes, et elle m'accorderait quelques-unes de mes femmes à mon dur et dernier chevet.» Chacun pensa au billot. Elle était si éloquente et si touchante que tous les seigneurs qui l'entouraient auraient cédé sans l'attitude obstinée du comte de Kent. La reine s'en aperçut, et, regardant le comte puritain, elle s'écria d'une voix profonde: «Versez le sang de Henri VII, mais ne le méconnaissez pas. Ne suis-je plus Marie Stuart? une sœur de votre maîtresse et sa pareille, deux fois sacrée, deux fois reine: reine douairière de France, reine légitime d'Écosse.» Le comte de Kent ne fut pas attendri, mais ébranlé.

Marie alors adoucissant de plus en plus son accent et son regard: «Milords, dit-elle, je vous engage ma parole que mes serviteurs éviteront tout ce que vous craignez. Hélas! les pauvres âmes ne feront rien que prendre adieu de moi. Certainement vous ne refuserez ni à moi ni à eux cette triste satisfaction. Songez, Milords, à vos propres serviteurs, à ceux qui vous plaisent le mieux, aux nourrices qui vous ont allaités, aux écuyers qui ont porté vos armes à la guerre; ces serviteurs de vos prospérités vous sont moins chers qu'à moi les serviteurs de mes infortunes. Encore une fois, Milords, n'écartez pas les miens de mon agonie, ils ne désirent rien que m'aimer jusqu'au bout, que ne point m'abandonner et que me voir mourir.»

Les comtes, après s'être consultés, obtempérèrent au souhait de Marie Stuart. Le comte de Kent dit pourtant encore qu'il redoutait les lamentations des femmes pour les assistants et pour la reine. «Je réponds d'elles, dit Marie. Leur amour pour moi leur prêtera des forces, et je leur donnerai l'exemple du courage. Il me sera doux de savoir que les miens sont là, et que j'ai des témoins de ma persévérance dans la foi.»

Les commissaires n'insistèrent plus, et accordèrent à la reine quatre serviteurs et deux de ses filles. La reine choisit Melvil, son maître d'hôtel; Bourgoing, son médecin; Gervais, son chirurgien; Gorion, son pharmacien; Jeanne Kennethy et Élisabeth Curle, les deux compagnes qui avaient remplacé dans son cœur et dans sa vie Élisabeth de Pierrepont. Melvil, qui était là, fut averti par la reine elle-même. Les autres serviteurs, qui étaient restés au balcon supérieur de l'escalier, furent mandés par un huissier de Pawlet. Ils s'empressèrent de descendre, heureux dans leur angoisse de ce dernier devoir offert à leur dévouement et à leur fidélité.

Apaisée par cette complaisance des comtes, la reine fit signe au shériff et au cortége d'avancer. Ce fut elle qui interrompit cette halte lugubre entre la prison et l'échafaud. Arrivée à la salle de l'exécution, elle considéra, non sans pâleur, mais sans défaillance, les apprêts du supplice, partout le deuil: le billot, la hache, le bourreau et son aide; la sciure de chêne répandue sur le parquet pour boire son sang; et, dans un coin obscur, la bière, sa dernière prison.

Il était neuf heures lorsque la reine parut dans la salle funèbre. Flechter, doyen de Peterborough, et des curieux privilégiés, au nombre de plus de deux cents, y étaient réunis. Cette salle était toute tapissée de drap noir; l'échafaud, qu'on y avait dressé à deux pieds et demi de terre, était tendu de frise noire de Lancastre; le fauteuil où Marie devait s'asseoir, le carreau où elle devait s'agenouiller, le billot où elle devait poser sa tête, étaient aussi recouverts de velours noir.

La reine était vêtue de noir comme la salle et tous les insignes du supplice. Sa robe de velours à haut collet et à manches pendantes était bordée d'hermine. Son manteau, doublé de martre zibeline, était de satin à boutons de perles et à longue queue. Une chaîne de boules odorantes, à laquelle se rattachait un scapulaire et qui se terminait par une croix d'or, descendait sur sa poitrine. Deux rosaires étaient suspendus à sa ceinture, et un long voile de dentelle blanche, qui adoucissait un peu son costume de veuve et de condamnée, l'enveloppait.

«Elle était précédée du shériff, de Drury et de Pawlet, des comtes et des nobles d'Angleterre; elle était suivie de ses deux femmes et de quatre de ses officiers, parmi lesquels on remarquait Melvil, qui portait la queue du manteau royal. La démarche de Marie était assurée et majestueuse. Un moment elle releva son voile, et sa figure, où brillait une espérance qui n'était plus de ce monde, parut belle comme au jour de sa jeunesse. L'assemblée fut éblouie. Elle tenait un de ses chapelets d'une main et le crucifix de l'autre. Le comte de Kent lui dit rudement: «Il faudrait avoir Christ dans son cœur.—Et comment, reprit vivement la reine, l'aurais-je dans la main si je ne l'avais pas dans le cœur?» Pawlet l'aidant à monter les degrés de l'échafaud, elle jeta sur lui un regard plein de douceur: «Sir Amyas, dit-elle, je vous remercie de votre courtoisie; c'est la dernière peine que je vous donnerai et le plus agréable service que vous puissiez me rendre.»

Parvenue à l'échafaud, Marie Stuart prit place dans le fauteuil qui lui avait été préparé, le visage tourné vers les spectateurs. Après elle, le doyen de Peterborough, en grand costume ecclésiastique, s'assit à droite de la reine sur un pliant sans dossier, un carreau de velours noir à ses pieds. Les comtes de Kent et de Shrewsbury s'assirent comme lui, à droite, mais sur des pliants à dossiers. De l'autre côté de la reine, le shériff Andrews était debout avec sa baguette blanche. En face de Marie Stuart, on distinguait le bourreau et son aide à leurs vêtements de velours noir, à leur crêpe rouge au bras gauche. Derrière le fauteuil, adossés à la muraille, pleuraient les serviteurs et les filles de Marie Stuart. Dans la salle, l'auditoire de nobles et de bourgeois des comtés voisins était contenu par les arquebusiers de sir Amyas Pawlet et de sir Drue Drury, au delà d'une balustrade qui avait été la barre du tribunal.

«On lui relut sa sentence; elle répondit en protestant au nom de la royauté et de l'innocence, mais en acceptant au nom de la foi.

«Elle s'agenouilla devant le billot; le bourreau voulut lui ôter son voile. Elle l'arrêta et le repoussa du geste; puis se tournant vers les comtes et la rougeur au front: «Je ne suis point accoutumée à me déshabiller en si nombreuse compagnie et par de tels valets de chambre.» Elle appela Jeanne Kennethy et Élisabeth Curle. Ce furent elles qui lui ôtèrent son manteau, son voile, ses chaînes, sa croix et son scapulaire. Comme elles touchaient à sa robe, la reine leur dit d'en dégager seulement le corsage et d'en rabattre le collet d'hermine, afin de laisser son cou nu à la hache. Ses filles lui rendirent ces tristes soins en pleurant. Melvil et les trois autres serviteurs pleuraient aussi et criaient. Marie posa un doigt sur sa bouche pour les inviter au silence. «Mes amis, s'écria-t-elle, j'ai répondu de vous; ne m'amollissez point. Ne devriez-vous pas plutôt louer Dieu de ce qu'il inspire à votre maîtresse courage et résignation?» À son tour néanmoins, cédant à sa propre sensibilité, elle embrassa ses filles avec effusion; puis les pressant de descendre l'échafaud, où toutes deux s'attachaient à sa robe, à ses mains qu'elles baignaient de larmes, elle leur adressa une tendre bénédiction et un dernier adieu. Melvil et ses compagnons demeurèrent comme suffoqués à peu de distance de la reine. Entraînés, subjugués par l'accent de Marie Stuart, les exécuteurs eux-mêmes la supplièrent à genoux de leur pardonner. «Je vous pardonne, leur dit-elle, à l'exemple de mon Rédempteur.»

«Alors elle arrangea le mouchoir brodé de chardons d'or dont elle s'était fait bander les yeux par Jeanne Kennethy. Elle baisa trois fois le crucifix, disant à chaque étreinte: «Seigneur, je remets mon âme entre vos mains.» Elle s'agenouilla de nouveau, et s'inclina sur le billot déjà sillonné de profondes entailles. Dans cette attitude suprême, elle récita encore quelques prières.

«Le bourreau l'interrompit en la frappant de la hache au troisième verset. La hache tremblant dans sa main ne fit qu'effleurer la nuque. Elle gémit. Le bourreau redoubla et d'un seul coup trancha la tête. Il la montra par la fenêtre aux assistants et au peuple en s'écriant suivant l'usage: «Ainsi périssent tous les ennemis de notre reine!»

«Les filles d'honneur de la reine et ses serviteurs l'ensevelirent et réclamèrent son corps pour le transporter en France. Cette relique de leur tendresse et de leur foi leur fut impitoyablement refusée. On craignait les reliques qui font revivre les fanatismes.»

Mais le fanatisme trompa ces prudences cruelles de la politique. Sa mort, expliquée par la politique, avait ressemblé à un martyre; sa mémoire, exécrée par les presbytériens d'Écosse et par les protestants d'Angleterre, fut adoptée par les catholiques comme celle d'une sainte. Elle fut jugée par les passions, c'est-à-dire qu'elle ne l'est pas encore et qu'elle ne le sera jamais.

Si elle est jugée par ses charmes, par ses talents, par les séductions magiques qu'elle exerça jusqu'à sa mort sur tous les hommes qui l'approchèrent, c'est la Sapho du seizième siècle. Tout ce qui n'était pas amour dans son âme était poésie; ses vers ont, comme ceux de Ronsard, son adorateur et son maître, une mollesse grecque avec une naïveté gauloise; ils sont écrits avec des larmes qui conservent, après tant d'années, quelque chose de la chaleur de ses soupirs.

Si elle est jugée par sa vie, c'est une Sémiramis de l'Écosse, immolant Darnley non pour l'empire, mais pour l'amour, se jetant après le crime, aux yeux de toute l'Europe, dans les bras de l'assassin de son époux et donnant pour toute moralité à son peuple, précipité par elle dans les guerres civiles, le scandale du couronnement de l'assassinat! On a voulu nier sa participation directe et personnelle au meurtre de son jeune époux; rien, excepté des lettres suspectes, ne prouve en effet qu'elle ait accompli ou permis personnellement le forfait; mais qu'elle ait attiré la victime dans le piége, qu'elle ait donné à Bothwell le droit et l'espérance de succéder au mort sur le trône et dans son cœur; qu'elle ait été le but, le moyen et le prix avéré du crime; enfin, qu'elle l'ait absous en unissant sa main à la main du meurtrier, aucun doute sur tout cela n'est possible. Provoquer et absoudre ainsi, n'est-ce pas assassiner? Enfin, si elle est jugée par sa mort, comparable par sa majesté, sa piété et son courage aux plus héroïques et aux plus saints trépas de l'antiquité, l'horreur et le mépris qu'on éprouvait fortement pour elle se changent à la fin en pitié, en estime et en admiration. Tant qu'elle n'a pas expié, elle est une meurtrière; après l'expiation, elle devient victime à son tour. Le sang semble laver le sang dans son histoire; on dirait que son crime coule de ses veines avec le sien; on n'absout pas, mais on compatit; compatir ainsi, ce n'est pas absoudre, mais c'est presque aimer; on cherche des excuses dans les mœurs féroces et dissolues du siècle, dans l'éducation à la fois dépravée, sanguinaire et fanatique de la cour des Valois, dans la jeunesse, dans la beauté, dans l'amour, et l'on est tenté de dire comme M. Dargaud, l'auteur le plus développé de cette histoire: «*Je ne juge pas, je raconte.*» Il a raconté en effet la vie de cette reine et de ce siècle comme on ne la racontera plus. Nous lui devons tout, et nous serions ingrat de ne pas lui rapporter tout; ceci n'est qu'une étude, son livre est une histoire.

LAMARTINE.

FIN DU CLVII[e] ENTRETIEN.

Typ. de Rouge frères, Dunon et Fresné, rue du Four-St-Germain, 43

CLVIIIe ENTRETIEN
MONTESQUIEU

I

Montesquieu Charles de Secondat, (baron de la Brède et de Montesquieu) naquit au château de la Brède, à trois lieues de Bordeaux, le 18 janvier 1689, d'une famille noble de Guyenne. Ce fut dans ce château féodal qu'il passa son enfance, sous la direction d'un père qui avait quitté le service militaire où il s'était distingué, pour se renfermer dans la vie de famille. Ce père, comme celui de Montaigne, mit tous ses soins à cultiver les dispositions de son fils qui annonça de bonne heure une grande vivacité d'intelligence. Ayant un frère président à mortier au parlement de Bordeaux, il le destina à la magistrature. Le jeune Charles étudia avec ardeur les lois dans les différents recueils de Codes, qui existaient alors; il fut reçu conseiller, le 24 février 1714. Il se fit remarquer par ses aptitudes spéciales et par ses qualités aimables et spirituelles.

Ce n'était pas un simple jurisconsulte, c'était un homme au courant de toutes les choses littéraires de son siècle, et qui partageait les idées nouvelles. Il hérita des biens et de la charge de son oncle, qui, après la perte d'un fils unique, reporta sur son neveu toutes ses affections. La charge de président lui échut le 13 juillet 1716.

Quelques années après, en 1722, le parlement de Bordeaux le chargea de faire des remontrances relatives à un impôt sur les vins; il le fit, et obtint gain de cause; ce qui fut un succès pour lui, mais non pas un grand soulagement pour le pays; car l'impôt ne tarda pas à reparaître sous une autre forme. Telle est la propriété des impôts, qui se métamorphosent avec la facilité et l'énergie du vieux Protée; on n'en voulut pas à Montesquieu.

Une académie avait été fondée à Bordeaux; on ne s'y occupait que de musique et de littérature; Montesquieu y était naturellement entré; mais, quoiqu'il fût sensible à tous les agréments de l'esprit et des arts, et qu'il dût le prouver plus tard avec éclat par la publication des *Lettres persanes*, il ne jugea pas l'académie de Bordeaux assez sérieuse, et secondé par le duc de la Force, il la transforma peu à peu en une sorte d'académie des sciences. Il y lut plusieurs écrits sur l'*Histoire naturelle*, et entre autres morceaux historiques, une dissertation sur la *politique des Romains dans la religion*, prélude d'un de ses chefs-d'œuvre.

II

Malgré la gravité de ces études, il fit bientôt paraître, mais sans les signer de son nom, ses *Lettres persanes*, parfaitement dans le goût de l'époque, et qui eurent une vogue singulière.

«Faites-nous des *Lettres persanes*,» disaient les libraires à tous les auteurs, comme si ces livres-là se faisaient deux fois. Montesquieu crut devoir de nouveau sacrifier aux grâces, mais lui-même n'éleva qu'un monument factice, son *Temple de Gnide*, que madame du Deffand, frappée de la froideur étudiée qui le caractérisait, appela l'*Apocalypse de la galanterie*. Le génie de Montesquieu n'était pas là, et les *Lettres persanes* avaient été une bonne fortune de sa jeunesse.

Bonne fortune, en effet, car elles le conduisirent à l'Académie française, en dépit de leur légèreté qui leur valut tout d'abord les résistances du cardinal Fleury.

Voltaire assure que Montesquieu parvint à faire lire au cardinal un exemplaire particulier des *Lettres persanes* soigneusement revu et purgé, *ad usum Delphini*, en quelque sorte; Voltaire attribue à Montesquieu un tour qu'il eût été bien capable de jouer, lui, Voltaire, en pareil cas; mais on pense généralement que Montesquieu le prit de plus haut; qu'il menaça fièrement de s'exiler, et que l'amitié du maréchal d'Estrées adoucit les scrupules du cardinal Fleury. On fit courir le bruit qu'un libraire impudent avait mêlé aux *Lettres persanes* des lettres qui n'étaient pas dans le manuscrit original, ce qui n'était pas exact le moins du monde. Cependant le cardinal Fleury voulut bien le croire et cessa de faire opposition au nom du roi. L'auteur fut académicien en 1728.

III

Montesquieu avait vendu sa charge de président à mortier au parlement de Bordeaux pour être plus libre de ses mouvements et pour se livrer aux grandes pensées qui emplissaient son cerveau et demandaient à se formuler. Il songea d'abord à visiter les nations et à étudier sur place leurs mœurs et leurs lois. Possesseur d'une belle fortune, il pouvait le faire honorablement sans avoir l'intention de jeter son argent par la portière de sa voiture: il alla d'abord à Vienne où il rencontra le prince Eugène, ce Coriolan, qui n'avait pas épargné sa patrie; de là il passa en Hongrie et ensuite en Italie; il connut à Venise l'Écossais Law, tout meurtri des ricochets de son système, bombe éclatée entre ses mains, mais qui n'était pas un financier vulgaire; il s'y entretint aussi avec le comte de Bonneval, aventurier destiné à mourir pacha. De Venise, il se rendit à Rome, où il contracta des liaisons d'amitié avec le cardinal Corsini, depuis pape sous le nom de Clément XII, et avec le cardinal de Polignac, l'auteur de l'*Anti-Lucrèce*. Il avait aussi rencontré lord Chesterfield, écrivain élégant, mais d'une morale un peu relâchée, même dans les conseils qu'il donne à son fils, enfant naturel qu'il promenait à travers le monde.

IV

On voit que Montesquieu ne se montrait pas extraordinairement sévère sur le choix de ses connaissances, pendant son voyage; le scepticisme de son esprit ne fit que s'accroître, et l'on raconte que, dans la ville éternelle, il dégagea spirituellement sa bourse des étreintes de la fiscalité du Vatican. Étant allé faire ses adieux à Benoît XIV, celui-ci lui fit cadeau de bulles de dispense qu'il accepta avec reconnaissance; mais, lorsqu'on lui présenta la note des frais d'expédition de ces bulles, il refusa obstinément d'en payer le montant, en disant qu'il croirait faire injure au Saint-Père s'il ne s'en rapportait pas à sa parole. C'était se tirer d'affaire en habile homme.

Il passa en Suisse, parcourut les bords du Rhin, s'arrêta en Hollande, et ayant retrouvé à la Haye lord Chesterfield, s'embarqua avec lui pour l'Angleterre, le 31 octobre 1729.

On n'a pas beaucoup de détails sur son séjour en Angleterre; mais il s'est plu lui-même à rapporter une réponse qu'il fit à la reine d'Angleterre, et qui prouve qu'il savait, au besoin, être bon courtisan. «Je dînais chez le duc de Richemond, le gentilhomme ordinaire de La Boine, qui étant un fat quoique envoyé de France en Angleterre, soutint que l'Angleterre n'était pas plus grande que la Guyenne. Je tançai mon envoyé. Le soir, la reine me dit: «Je sais que vous nous avez défendu contre M. de La Boine.—Madame, je n'ai pu m'imaginer qu'un pays où vous régnez ne fût pas un grand pays.» Ce sont là de ces mots qui posent un homme dans une cour. Cependant Montesquieu n'avait pas toujours la même présence d'esprit et lord Chesterfield lui avait fait perdre la tête à Venise, en postant sur sa route un homme qui lui fit croire trop aisément que le Conseil des dix avait les yeux sur lui.

V

De retour en France, Montesquieu se confina, pendant deux ans, dans son château de la Brède, où l'on montre encore, au coin de la cheminée, l'empreinte du pied de ce profond penseur; il écrivit ses *Considérations sur les causes de la grandeur et de la décadence des Romains*, qu'il publia en 1734. Ce ne fut que quatre ans après qu'il mit au jour son grand ouvrage sur l'*Esprit des Lois*, où il donna enfin la mesure complète de son génie.

Montesquieu n'était point indifférent à la souffrance des peuples; il ne l'était pas non plus à celle des individus. On cite de lui un trait qui fait le plus grand honneur à ses sentiments d'humanité non moins qu'à sa modestie. Un de ses meilleurs et derniers biographes, le baron Walckenaer raconte en ces termes un acte de charité de Montesquieu, devenu célèbre, et que le théâtre a même reproduit, d'après Fréron, sous le titre de: *le Bienfait anonyme.*»

«Il allait souvent à Marseille, dit le baron Walckenaer dans la *Biographie universelle*, visiter madame d'Héricourt. Se promenant un jour sur le port, pour prendre le frais, il est invité par un jeune matelot de bonne mine, à choisir de préférence son bateau pour aller faire un tour en mer. Dès qu'il est entré dans le bateau, Montesquieu croit s'apercevoir, à la manière dont ce jeune homme rame, qu'il n'exerce pas ce métier depuis longtemps. Il le questionne et apprend qu'il est joaillier de profession; qu'il se fait batelier les fêtes et les dimanches pour gagner quelque argent et seconder les efforts de sa mère et de ses sœurs; que tous quatre travaillent et économisent dans le but d'amasser deux mille écus pour racheter leur père esclave à Tétouan.

«Montesquieu, touché du récit de ce jeune homme et de l'état de cette famille intéressante, s'informe du nom du père, du nom du maître auquel il appartient; il se fait conduire à terre, donne au batelier sa bourse qui contenait seize louis d'or et quelques écus, et s'échappe.... Six semaines après, le père revient dans sa maison. Il juge bientôt à l'étonnement des siens qu'il ne leur doit pas sa liberté comme il l'avait cru d'abord, et il leur apprend que, non-seulement on l'a racheté, mais qu'encore, après avoir pourvu aux frais de son habillement et de son passage, on lui a remis une somme de cinquante louis. Le jeune homme alors soupçonna un nouveau bienfait de l'inconnu et se mit en devoir de le chercher.

«Après deux ans d'inutiles démarches, il le rencontre par hasard dans la rue, se précipite à ses genoux, le conjure, les larmes aux yeux, de venir partager la joie d'une famille au bonheur de laquelle il ne manque que de pouvoir jouir de la présence de son bienfaiteur et de lui exprimer toute sa reconnaissance. Montesquieu reste impassible, ne veut convenir de rien, et s'éloigne à la faveur de la foule qui l'entourait.

«Celle belle action serait toujours demeurée ignorée, si les gens d'affaires de Montesquieu n'eussent trouvé, après sa mort, une note écrite de sa main, indiquant qu'une somme de sept mille cinq cents francs avait été envoyée par lui à M. Main, banquier anglais à Cadix; ils demandèrent à ce dernier des éclaircissements: M. Main répondit qu'il avait employé cette somme pour délivrer un Marseillais, nommé Robert, esclave à Tétouan, conformément aux ordres de M. le président de Montesquieu. La famille de Robert a raconté le reste.»

VI

Nous avons eu la curiosité de lire le drame composé sur ce sujet, par Joseph Pilhes, de Tarascon, en 1784; ce drame est médiocre, et le nom de Montesquieu, changé en celui de *Saint-Estieu*, produit un effet assez ridicule; cependant il a dû faire couler des larmes, surtout pendant la révolution où il se jouait encore, et où les pièces dans lesquelles triomphaient l'humanité et la nature, réussissaient d'autant plus que l'époque était plus terrible et plus agitée. Le public des théâtres ressemblait à des passagers qui se seraient amusés de la représentation de scènes pastorales, tandis que la tempête grondait autour de leur vaisseau et le soulevait sur les flots.

VII

Montesquieu mourut d'une fièvre inflammatoire, le 10 février 1755, à l'âge de soixante-six ans. Il était presque aveugle, et l'une de ses filles lui servait de lectrice. Il avait eu deux filles et un fils de Jeanne de Lartigues avec qui il s'était marié dès 1715. Il paraît que Voltaire ne s'était pas tout à fait aventuré en parlant de corrections faites aux *Lettres persanes*. Deux pères jésuites tourmentèrent Montesquieu à son lit de mort pour obtenir ces corrections, mais il refusa de les leur remettre et les confia à deux de ses amies, mesdames d'Aiguillon et Dupré de Saint-Maur, en leur disant: «Tout pour la religion si l'on veut,—pour les jésuites rien.» On ajoute qu'il répondit au prêtre qui lui apportait le viatique, et qui lui répétait: «Comprenez-vous, monsieur, combien Dieu est grand?—Oui, mon père, et combien les hommes sont petits!» Il mourut ainsi, avec toute sa tranquillité d'âme; sans trop regretter une existence où une heure de lecture avait toujours dissipé ses plus grands ennuis.

VIII

Telle fut la vie de cet homme distingué que le dix-huitième siècle prit pour un grand homme sur parole, et dont il ne lut guère que les *Lettres persanes*, feuille du *Mercure*, légère et spirituelle, mais peu digne, en somme, de la plume d'un législateur.

J'avoue qu'à l'âge où je suis arrivé, je ne connaissais Montesquieu que de nom, et que je serais mort sur la prévention de son mérite transcendant, si je n'avais eu enfin, dans ces derniers temps, le loisir de l'étudier à fond et la volonté de m'en faire une idée juste. Combien n'en ai-je pas été détrompé! J'avais, il est vrai, lu souvent dans l'inimitable Correspondance de Voltaire, quelques phrases très-succinctes et presque très-dédaigneuses sur ce prétendu *Esprit des Lois*, qu'il appelait avec raison, comme son amie madame du Deffant: *De l'esprit sur les lois*. Mais je pensais que la gravité du sujet avait peut-être rebuté l'esprit si charmant, quoique si solide, de Voltaire, et qu'il ne fallait pas demander à un homme universel,—réputé léger,—un jugement sur un magistrat—réputé érudit.—Je m'étais réservé de lire à fond Montesquieu quand j'en aurais le temps et de me faire une idée juste de l'*Aristote* de la France.

IX

Je viens de le faire, et je vais me rendre compte à moi-même de mes impressions.

Si l'on me demande: Montesquieu est-il un écrivain de premier ordre? un de ces hommes après lesquels il n'est plus permis d'écrire sur le sujet qu'ils ont traité et dont ils ont, du premier coup, effleuré toute la superficie ou épuisé tout l'intérêt? Je réponds: Non; l'écrivain, dans Montesquieu, est agréable, suffisant, mais plus original de prétention que de fonds; il a le pédantisme de l'ignorance; il masque par la profondeur de l'intention le peu de profondeur des idées; en un mot, il est grave de formes, très-léger de fonds.

Montesquieu est-il un philosophe consommé? un de ces hommes qui secouent par la vigueur de leur intelligence les traditions populaires ou les préjugés contemporains de leur temps pour faire place à des idées plus justes, et pour substituer des institutions neuves et pratiques aux vieilleries nuisibles ou usées de leur époque? Non; c'est un homme d'étude qui a eu l'intention d'être un philosophe, qui n'a point faussé les idées générales de son temps ni de son pays, qui s'est tenu toujours à la hauteur de son époque, mais qui ne lui a pas fait faire un pas en avant, qui a rédigé si raisonnablement et spirituellement ce qu'on a discuté, mais qui n'a pensé que sur ce qu'on a pensé avant lui.

Montesquieu est-il un législateur prématuré? un homme de la race de Confucius, d'Aristote, qui, jetant sur les institutions de l'Europe un regard créateur, infaillible, prophétique, ait cherché dans l'idéal vrai les principes d'amélioration, de perfectionnement, de justice, de nature à les introduire dans les lois sans subvertir le monde et à inoculer au corps social une dose de vérités absolues sans le faire mourir dans son opération médicale? Non; il a marché à reculons sans voir l'avenir, et en contemplant uniquement le passé pour y découvrir ce qui a été fait, pourquoi cela a été fait, sans se préoccuper nullement de ce qui sera fait pour conformer les lois futures à une plus grande justice ou à une plus parfaite moralité. Non, Montesquieu n'a pas été un profond législateur; il a été ou il a voulu être un simple érudit en législation, et il s'est trompé neuf fois sur dix dans ses prémisses et dans ses conclusions.—Et n'étant échauffé, comme un érudit, par aucune flamme idéale, illusionné par aucun rêve, il a écrit froidement; il a remplacé par quelques traits d'esprit les généreuses erreurs que le rêve ajoute en ce genre à la vérité; il a laissé à Platon son idéal, quelquefois brillant, souvent absurde, de sa *République*; à J. J. Rousseau ses fantaisies sans base du *Contrat social*; à Fénelon ses utopies illogiques du *Salluste*; il n'a point eu leurs erreurs, mais il n'a point eu leurs vertus.

Aussi, chose bien remarquable, Montesquieu écrivait sur le seuil même d'une révolution, d'une tentative la plus forte qui fut jamais pour rectifier et renouveler les lois du monde moderne, et, depuis Mirabeau jusqu'à Condorcet, Danton, Robespierre, personne ne s'est inspiré de lui, personne n'a prononcé son nom, et la Convention n'en a pas parlé plus que de Confucius ou d'Aristote: ce n'était pas l'homme de l'avenir, c'était l'homme du passé. Il était, à vingt ans de distance, aussi mort et aussi oublié que le passé lui-même. Quelques juristes érudits l'avaient dans leur bibliothèque; les ignorants avaient entendu parler de son nom; mais il n'était dans l'idéal ou dans le cœur de personne. Voilà Montesquieu.

X

Examinons pourquoi je ne l'ai bien compris qu'aujourd'hui.

On voit l'esprit général du livre et de l'auteur dans sa préface.

«Si, dans le nombre infini de choses qui sont dans ce livre, il y en avait quelqu'une qui, contre mon attente, pût offenser, il n'y en a pas du moins qui y ait été mise avec mauvaise intention. Je n'ai point naturellement l'esprit désapprobateur. Platon remerciait les dieux de ce qu'il était né du temps de Socrate; et moi je rends grâces à Dieu de ce qu'il m'a fait naître dans le gouvernement où je vis, et de ce qu'il a voulu que j'obéisse à ceux qu'il m'a fait aimer.

«Je demande une grâce que je crains qu'on ne m'accorde pas: c'est de ne pas juger par la lecture d'un moment d'un travail de vingt années, d'approuver ou de condamner le livre entier, et non pas quelques phrases. Si l'on veut chercher le dessein de l'auteur, on ne peut le bien découvrir que dans le dessein de l'ouvrage.

«J'ai d'abord examiné les hommes, et j'ai cru que dans cette infinie diversité de lois et de mœurs, ils n'étaient pas uniquement conduits par leurs fantaisies.

«J'ai posé les principes, et j'ai vu les cas particuliers s'y plier comme d'eux-mêmes; les historiens de toutes les nations n'en être que les suites, et chaque loi particulière liée avec une autre loi, ou dépendre d'une autre plus générale.

«Quand j'ai été rappelé à l'antiquité, j'ai cherché à en prendre l'esprit, pour ne pas regarder comme semblables des cas réellement différents, et ne pas manquer les différences de ceux qui paraissent semblables.

«Je n'ai point tiré mes principes de mes préjugés, mais de la nature des choses.

«Ici, bien des vérités ne se feront sentir qu'après qu'on aura vu la chaîne qui les lie à d'autres. Plus on réfléchira sur les détails, plus on sentira la certitude des principes. Ces détails mêmes, je ne les ai pas tous donnés; car qui pourrait dire tout sans un mortel ennui?

«On ne trouvera point ici ces traits saillants qui semblent caractériser les ouvrages d'aujourd'hui. Pour peu qu'on voie les choses avec une certaine étendue, les saillies s'évanouissent; elles ne naissent d'ordinaire que parce que l'esprit se jette tout d'un côté et abandonne tous les autres.

«Je n'écris point pour censurer ce qui est établi, dans quelque pays que ce soit. Chaque nation trouvera ici les raisons de ses maximes; et on en tirera naturellement cette conséquence: qu'il n'appartient de proposer des changements qu'à ceux qui sont assez heureusement nés pour pénétrer d'un coup de génie toute la constitution d'un État.

«Il n'est pas indifférent que le peuple soit éclairé. Les préjugés des magistrats ont commencé par être les préjugés de la nation. Dans un temps d'ignorance on n'a aucun doute, même lorsqu'on fait les plus grands maux; dans un temps de lumière, on tremble encore lorsqu'on fait les plus grands biens. On sent les abus anciens, on en voit la correction; mais on voit encore les abus de la correction même. On laisse le mal, si l'on craint le pire; on laisse le bien, si l'on est en doute du mieux. On ne regarde les parties que pour juger du tout ensemble; on examine toutes les causes pour voir les résultats.

«Si je pouvais faire en sorte que tout le monde eût de nouvelles raisons pour aimer ses devoirs, son prince, sa patrie, ses lois, qu'on pût mieux sentir son bonheur dans chaque pays et dans chaque gouvernement, dans chaque poste où l'on se trouve, je me croirais le plus heureux des mortels.

«Si je pouvais faire en sorte que ceux qui commandent augmentassent leurs connaissances sur ce qu'ils doivent prescrire, et que ceux qui obéissent trouvassent un nouveau plaisir à obéir, je me croirais le plus heureux des mortels.

«Je me croirais le plus heureux des mortels, si je pouvais faire que les hommes pussent se guérir de leurs préjugés. J'appelle ici préjugés non pas ce qui fait qu'on ignore de certaines choses, mais ce qui fait qu'on s'ignore soi-même.

«C'est en cherchant à instruire les hommes que l'on peut pratiquer cette vertu générale, qui comprend l'amour de tous. L'homme, cet être flexible, se pliant dans la société aux pensées et aux impressions des autres, est également capable de connaître sa propre nature lorsqu'on la lui montre, et d'en perdre jusqu'au sentiment lorsqu'on la lui dérobe.

«J'ai bien des fois commencé et bien des fois abandonné cet ouvrage; j'ai mille fois envoyé aux vents les feuilles que j'avais écrites; je sentais tous les jours les mains paternelles tomber; je suivais mon objet sans former de dessein; je ne connaissais ni les règles ni les exceptions; je ne trouvais la vérité que pour la perdre. Mais, quand j'ai découvert mes principes, tout ce que je cherchais est venu à moi; et dans le cours de vingt années, j'ai vu mon ouvrage commencer, croître, s'avancer et finir.

«Si cet ouvrage a du succès, je le devrai beaucoup à la majesté de mon sujet; cependant je ne crois pas avoir totalement manqué de génie. Quand j'ai vu ce que tant de grands hommes en France et en Allemagne ont écrit avant moi, j'ai été dans l'admiration, mais je n'ai point perdu le courage: *Et moi aussi, je suis peintre*! ai-je dit avec le Corrége.»

XI

Maintenant je vais lire avec vous.

Et d'abord je remarque, à l'ouverture même du livre, une vérité vieille comme le monde et hardie à force de vétusté.

La connaissance et la reconnaissance d'un Dieu, source et principe de toutes les lois et portant en soi-même la raison et la sanction de toutes les lois. Il ne faut pas oublier que, pendant que les philosophes modernes: Voltaire, Rousseau, Helvétius, d'Holbach et mille autres, et toute l'innombrable société lettrée ou érudite de l'Europe, niaient la vérité suprême, Dieu, ou s'efforçaient de noyer ce principe des principes dans des controverses plus ou moins ambiguës, Montesquieu commençait son examen des lois par la profession nette de la Divinité. Il admettait la *nature des choses* comme base de toute législation; et *nature des choses*, qu'est-ce autre chose que Dieu?

Il faut lui payer un grand et juste hommage pour ce courage, supérieur encore à l'entendement.

Il définit ainsi la loi:

«Les lois, dans la signification la plus étendue, sont les rapports nécessaires qui dérivent de la nature des choses; et dans ce sens, tous les êtres ont leurs lois. La Divinité a ses lois, le monde matériel a ses lois, les intelligences supérieures à l'homme ont leurs lois, les bêtes ont leurs lois, l'homme a ses lois.

«Ceux qui ont dit «qu'*une fatalité aveugle a produit tous les effets que nous voyons dans le monde*» ont dit une grande absurdité; car quelle plus grande absurdité qu'une fatalité aveugle qui aurait produit des êtres intelligents?

«Il y a donc une raison primitive; et les lois sont les rapports qui se trouvent entre elle et les différents êtres, et les rapports de ces divers êtres entre eux.

«Dieu a du rapport avec l'univers comme Créateur et comme Conservateur; les lois selon lesquelles il a créé sont celles selon lesquelles il conserve: il agit selon les règles parce qu'il les connaît; il les connaît parce qu'il les a faites; il les a faites parce qu'elles ont du rapport avec sa sagesse et sa puissance.

«Les êtres particuliers intelligents peuvent avoir des lois qu'ils ont faites; *mais ils en ont aussi qu'ils n'ont pas faites.* Avant qu'il y eût des êtres intelligents, ces êtres étaient possibles; ils avaient donc des rapports possibles, et par conséquent des lois possibles. Avant qu'il y eût des lois faites, il y avait des rapports de justice possibles. Dire qu'il n'y a rien de juste ni d'injuste que ce qu'ordonnent ou défendent les lois positives, c'est dire qu'avant qu'on eût tracé de cercle, tous les rayons n'étaient pas égaux.

«L'homme, comme être physique, est, ainsi que les autres corps, gouverné par des lois invariables. Comme être intelligent, il viole sans cesse les lois que Dieu a établies, et change celles qu'il établit lui-même. Il faut qu'il se conduise, et cependant il est un être borné, il est sujet à l'ignorance et à l'erreur, comme toutes les intelligences finies; les faibles connaissances qu'il a, il les perd encore; comme créature sensible, il devient sujet à mille passions. Un tel être pouvait à tous les instants oublier son Créateur; Dieu l'a rappelé à lui par les lois de la religion. Un tel être pouvait à tous les instants s'oublier lui-même; les philosophes l'ont averti par les lois de la morale. Fait pour vivre dans la société, il y pouvait oublier les autres; les législateurs l'ont rendu à ses devoirs par les lois politiques et civiles.

«Avant toutes ces lois sont celles de la nature, ainsi nommées parce qu'elles dérivent uniquement de la constitution de notre être. Pour les connaître bien, il faut considérer un homme avant l'établissement des sociétés. Les lois de la nature seront celles qu'il recevrait dans un état pareil.

«Cette loi qui, en imprimant dans nous-mêmes l'idée d'un Créateur, nous porte vers lui, est la première des *lois naturelles* par son importance, et non pas dans l'ordre de ces lois. L'homme dans l'état de nature aurait plutôt la faculté de connaître, qu'il n'aurait des connaissances. Il est clair que ses premières idées ne seraient point des idées spéculatives: il songerait à la conservation de son être avant de chercher l'origine de son être. Un homme pareil ne sentirait d'abord que sa faiblesse; sa timidité serait extrême: et si l'on avait là-dessus besoin de l'expérience, l'on a trouvé dans les forêts des hommes sauvages; tout les fait trembler, tout les fait fuir.

«Sitôt que les hommes sont en société, ils perdent le sentiment de leur faiblesse; l'égalité qui était entre eux cesse, et l'état de guerre commence.

«Chaque société particulière vient à sentir sa force, ce qui produit un état de guerre de nation à nation. Les particuliers, dans chaque société, commencent à sentir leur force; ils cherchent à tourner en leur faveur les principaux avantages de cette société, ce qui fait entre eux un état de guerre.

«Ces deux sortes d'états de guerre font établir les lois parmi les hommes. Considérés comme habitants d'une si grande planète qu'il est nécessaire qu'il y ait différents peuples, ils ont des lois dans le rapport que ces peuples ont entre eux; et c'est *le droit des gens*. Considérés comme vivant dans une société qui doit être maintenue, ils ont des lois dans le rapport qu'ont ceux qui gouvernent avec ceux qui sont gouvernés; et c'est le *droit politique*. Ils en ont encore dans le rapport que tous les citoyens ont entre eux; et c'est *le droit civil*.

«Le *droit des gens* est naturellement fondé sur ce principe, que les diverses nations doivent se faire dans la paix le plus de bien et dans la guerre le moins de mal qu'il est possible, sans nuire à leurs véritables intérêts.

«L'objet de la guerre, c'est la victoire; celui de la victoire, la conquête; celui de la conquête, la conservation. De ce principe et du précédent doivent dériver toutes les lois qui forment le *droit des gens*.

«Toutes les nations ont un droit des gens. Les Iroquois mêmes, qui mangent leurs prisonniers, en ont un. Ils envoient et reçoivent des ambassades; ils connaissent des droits de la guerre et de la paix; le mal est que ce droit des gens n'est pas fondé sur les vrais principes.

«Outre le droit des gens, qui regarde toutes les sociétés, il y a un *droit politique* pour chacune. Une société ne saurait subsister sans un gouvernement. *La réunion de toutes les forces particulières*, dit très-bien Gravina, *forme ce que l'on appelle l'état politique.*

«La loi, en général, est la raison humaine, en tant qu'elle gouverne tous les peuples de la terre; et les lois politiques et civiles de chaque nation ne doivent être que les cas particuliers où s'applique cette raison humaine.

«Elles doivent être tellement propres au peuple pour lequel elles sont faites, que c'est un très-grand hasard si celles d'une nation peuvent convenir à une autre.

«Il faut qu'elles se rapportent à la nature et au principe du gouvernement qui est établi ou qu'on veut établir; soit qu'elles le forment, comme font les lois politiques; soit qu'elles le maintiennent, comme font les lois civiles.

»Elles doivent être relatives au *physique* du pays, au climat, glacé, brûlant ou tempéré; à la qualité du terrain, à sa situation, à sa grandeur; au genre de vie des peuples, laboureurs, chasseurs ou pasteurs; elles doivent se rapporter au degré de liberté que la constitution peut souffrir; à la religion des habitants, à leurs inclinations, à leurs richesses, à leur nombre, à leur commerce, à leurs mœurs, à leurs manières. Enfin, elles ont des rapports entre elles, elles en ont avec leur origine, avec l'objet du législateur, avec l'ordre des choses sur lesquelles elles sont établies; c'est dans toutes ces vues qu'il faut les considérer.

«C'est ce que j'entreprends de faire dans cet ouvrage. J'examinerai tous ces rapports, ils forment tous ensemble ce que l'on appelle l'*esprit des lois*.

«J'examinerai d'abord les rapports que les lois ont *avec la nature* et avec le principe de chaque gouvernement; et, comme ce principe a sur les lois une suprême influence, je m'attacherai à le bien connaître; et si je puis une fois l'établir on en verra couler les lois comme de leur source. Je passerai ensuite aux autres rapports qui semblent être plus particuliers.»

XII

Montesquieu distingue dans le deuxième chapitre les gouvernements en trois natures: premièrement, la *république*, oubliant qu'il y a autant de natures de gouvernements dans la république que dans la monarchie. Il appelle le gouvernement républicain, démocratie; mais quelle nature de démocratie découvre-t-il dans le gouvernement aristocratique et inquisitorial de Venise, où la démocratie ne conserve d'autre droit que le droit d'être espionnée et corrompue? Quelle démocratie dans la *république de Pologne*, où un seul noble à cheval prononçant le *liberim veto* et se sauvant ensuite à bride abattue, a le pouvoir légal d'entraver seul la révolution de tous?

Il donne pour base à cette démocratie la *vertu*!

Secondement, le *gouvernement monarchique* qui reconnaît un chef ou un roi;—mais quelle similitude entre la monarchie d'Angleterre, par exemple, véritable république active avec un roi inactif, et la monarchie ottomane où le souverain est tout?

Il cherche le principe conservateur de ce gouvernement et il trouve l'*honneur*! Mais quel honneur y a-t-il à obéir servilement aux fantaisies d'un sultan qui vous demande votre tête sans jugement?

Puis, enfin, le *gouvernement despotique* dont, selon lui, le principe fondamental est la peur.

Il y a dans ces trois définitions la manie systématique de définir à tout prix, mais il n'y a, en réalité, ni vérité ni raison.

Généraliser, c'est fausser! tout est faux dans ce début du livre, nom, principe et base.

Il y a autant de républiques ou de démocraties qu'il y a de natures d'élections.

Il y a autant de monarchies qu'il y a de natures d'hérédité et de contrôles.

Il y a autant de pouvoirs despotiques qu'il y a d'esclaves pour obéir à un seul.

La vertu n'est nullement le principe de la démocratie, puisque c'est le plus mobile et le plus vénal des régimes.—Où est la vertu dans le Vénitien ou dans le Polonais?

L'honneur n'est nullement le principe des monarchies, puisque la servilité et la corruption ont de tout temps régné dans les cours.

La peur n'est nullement le principe des despotismes, puisqu'un vice-roi qui apporte de trois cents lieues sa fortune et sa tête au roi de Perse, ou un pacha au sultan, n'agissent certainement pas par peur, mais par devoir.

Le sentiment du devoir, et de l'obéissance à ce que l'on croit être le droit du commandement, est le principe conservateur de toutes les formes de gouvernement.

Le commandement et l'obéissance, voilà partout le gouvernement.

Le commandement, légitime.

L'obéissance, par convention et par devoir!

XIII

Après avoir parcouru rapidement les propriétés distinctives de ces trois ordres de gouvernement, il en conclut que la république ne convient qu'aux petits États; la monarchie aux médiocres; le despotisme aux grands.

Il ne voit pas qu'il n'y aurait ainsi, pour toute politique, qu'à mesurer le territoire.

Il ne voit pas, de plus, que la rapidité des communications modifie toute cette géographie des États.

Il ne voit pas encore que cette géographie est fautive, que la distribution de ces natures de gouvernement tient à mille autres causes que la grandeur ou la petitesse des espaces, et que l'Amérique, par exemple, ou la Pologne, bien que très-mal constituées, sont des républiques malgré leurs vingt millions ou leurs quarante millions de sujets; il ne voit pas davantage que la Chine, malgré ses trois cent soixante-cinq millions d'habitants, n'est nullement despotique, mais la monarchie la plus tempérée qui ait jamais existé.

On s'aperçoit tout de suite que Montesquieu est un penseur léger, facile avec lui-même, très-superficiel, qui saisit au hasard la première considération venue pour en faire la base aventurée de sa politique et donner des axiomes géométriques pour des vérités politiques.

Faut-il tout dire? C'est un homme qui lit beaucoup, mais sans attention et sans critique; qui prend pour vérité un mensonge pittoresque du premier voyageur venu, et qui, de ce seul fait mal compris, mal interprété, souvent absurde, conclut ingénieusement tout un système politique ou législatif en opposition avec le bon sens. Nous allons vous en citer mille exemples:

XIV

Ce qu'il dit du gouvernement chinois est la preuve de la plus complète inintelligence.

«Nos missionnaires, dit-il, nous parlent de la Chine comme d'un gouvernement admirable, qui mêle ensemble, dans son principe, la crainte, l'honneur et la vertu.

«J'ignore, ajoute-t-il ironiquement, ce que c'est que cet honneur dont on parle chez des peuples à qui on ne fait rien faire qu'à coups de bâton!»

Ceci serait plus digne des *Lettres persanes* que de l'*Esprit des lois*. M. de Montesquieu ne peut ignorer que le gouvernement chinois est un régime où le bâton n'est que le signe du mandarin qui rend la justice et qui frappe dans certains cas spécifiés le coupable avec sa baguette. M. de Montesquieu qui, à la page suivante, peint l'Angleterre comme le type du gouvernement parfait, ignore-t-il que le bâton appliqué à la discipline de l'armée y joue un rôle mille fois plus habituel que la baguette du mandarin dans le Céleste Empire, et cependant déshonore-t-il les institutions de la Grande-Bretagne parce qu'elles préfèrent, dans leur logique, cette peine disciplinaire à la prison?

«Le climat de la Chine est tel qu'il favorise prodigieusement la propagation de l'espèce humaine; les femmes y sont d'une fécondité si grande que l'on ne voit rien de pareil sur la terre.»

Montesquieu ignore-t-il donc que l'empire de la Chine renferme tous les genres de climats depuis le printemps éternel de Canton jusqu'aux glaces perpétuelles de la Tartarie, et qu'en conséquence on ne peut attribuer à la douceur du climat l'immense population de l'empire?

«Ne pourrait-il pas se faire que les missionnaires auraient été trompés par une apparence d'ordre; qu'ils auraient été frappés de cet exercice continuel de la volonté d'un seul par lequel ils sont gouvernés eux-mêmes, et qu'ils aiment tant à trouver dans les cours des rois des Indes, parce que, n'y allant que pour y faire de grands changements, il leur est plus aisé de convaincre les princes qu'ils peuvent tout faire, que de persuader aux peuples qu'ils peuvent tout souffrir?

Enfin, il y a souvent quelque chose de vrai dans les erreurs mêmes. Des circonstances particulières, et peut-être uniques, peuvent faire que le gouvernement de la Chine ne soit pas aussi corrompu qu'il devrait l'être. Des causes, tirées la plupart du physique du climat, ont pu forcer les causes morales dans ce pays, et faire des espèces de prodiges.

La Chine, comme tous les pays où croît le riz, est sujette à des famines fréquentes. Lorsque le peuple meurt de faim, il se disperse pour chercher de quoi vivre; il se forme de toutes parts des bandes de trois, quatre ou cinq voleurs. La plupart sont d'abord exterminés; d'autres se grossissent, et se font exterminer encore. Mais, dans un si grand nombre de provinces, et si éloignées, il peut arriver que quelque troupe fasse fortune. Elle se maintient, se fortifie, se forme en corps d'armée, va droit à la capitale, et le chef monte sur le trône.

Telle est la nature de la Chine, que le mauvais gouvernement y est d'abord puni. Le désordre y naît soudain, parce que ce peuple prodigieux manque de subsistances. Ce qui fait que, dans d'autres pays, on revient si difficilement des abus, c'est qu'ils n'y sont pas des effets d'abord sensibles; le prince n'y est pas averti d'une manière prompte et éclatante comme il l'est à la Chine.

Il ne sentira point, comme nos princes, que s'il se gouverne mal, il sera moins heureux dans l'autre vie, moins puissant et moins riche dans celle-ci. Il saura que, si son gouvernement n'est pas bon, il perdra l'empire et la vie.

Comme, malgré les expositions d'enfants, le peuple augmente toujours à la Chine, il faut un travail infatigable pour faire produire aux terres de quoi le nourrir. Cela demande du gouvernement une attention qu'on n'a point ailleurs. Il est à tous les instants intéressé à ce que tout le monde puisse travailler sans crainte d'être frustré de ses peines. Ce doit moins être un gouvernement civil qu'un gouvernement domestique.

Voilà ce qui a produit les règlements dont on parle tant. On a voulu faire régner les lois avec le despotisme; mais ce qui est joint avec le despotisme n'a plus de force. En vain ce despotisme, pressé par ses malheurs, a-t-il voulu s'enchaîner; il s'arme de ses chaînes, et devient plus terrible encore.

«La Chine est donc un État despotique dont le principe est la crainte. Peut-être que, dans les premières dynasties, l'empire n'étant pas si étendu, le gouvernement déclinait un peu de cet esprit; mais aujourd'hui, cela n'est pas.»

XV

Même légèreté et même ignorance dans la plupart des jugements portés par l'auteur sur les mille nations qu'il passe en revue devant lui pour donner l'intelligence de l'esprit de leurs lois.

«Ainsi, dit-il, il est contre la nature des choses qu'une république conquière!» Et il oublie que la république romaine, qu'il exalte, a cessé de vivre le jour où elle a cessé de conquérir!

«La monarchie ne peut être conquérante. Elle ne peut conquérir que pendant qu'elle reste dans les limites naturelles de son gouvernement.» Le bon sens lui répond:—Mais quelles sont ces limites naturelles au gouvernement d'une monarchie? Y a-t-il une monarchie qui ne se soit formée par conquêtes ou agglomérations successives? Que serait la monarchie espagnole sans Charles-Quint? Que serait la monarchie britannique sans le pays de Galles, l'Écosse, l'Irlande, les deux Indes et les flots de la mer sans cesse conquis? Que serait la Prusse sans Frédéric II? Que serait la Russie sans Pierre Ier et Catherine? Que serait l'Autriche sans la Hongrie? Que serait la France sans la Bretagne, la Guyenne, l'Alsace, la Franche-Comté? Qui lui aurait dit dans le passé et qui lui dira dans l'avenir: «Tes limites naturelles sont là, et tout ce que tu y ajouteras t'affaiblira?»

Mauvaise généralité, inappliquée et inapplicable, qui n'est ni sensée ni morale, parce qu'elle n'est pas vraie. La loi de croissance, loi naturelle et par conséquent divine, s'applique aux nations comme aux individus. Les grands fleuves absorbent les petits cours d'eau. La conquête, dans certains cas, est légitime comme la vie... République comme Rome, ou monarchie de quatre cents millions d'hommes comme la Chine.

«Il est encore contre la nature de la chose qu'une république démocratique conquière des villes qui ne sauraient entrer dans la sphère de sa démocratie. Il faut que le peuple conquis puisse jouir des priviléges de la souveraineté, comme les Romains l'établirent au commencement. On doit borner la conquête au nombre des citoyens que l'on fixera pour la démocratie.

«Si une démocratie conquiert un peuple pour le gouverner comme sujet, elle exposera sa propre liberté, parce qu'elle confiera une trop grande puissance aux magistrats qu'elle enverra dans l'État conquis.

«Alexandre fit une grande conquête. Voyons comment il se conduisit. On a assez parlé de sa valeur, parlons de sa prudence.

«Les mesures qu'il prit furent justes. Il ne partit qu'après avoir achevé d'accabler les Grecs; il ne se servit de cet accablement que pour l'exécution de son entreprise; il ne laissa rien derrière lui contre lui. Il attaqua les provinces maritimes, il fit suivre à son armée de terre les côtes de la mer pour n'être point séparé de sa flotte; il se servit admirablement bien de la discipline contre le nombre; il ne manqua point de subsistances; et s'il est vrai que la victoire lui donna tout, il fit aussi tout pour se procurer la victoire.

«Voilà comme il fit ses conquêtes; il faut voir comme il les conservera.

«Il résista à ceux qui voulaient qu'il traitât les Grecs comme maîtres et les Perses comme esclaves. Il ne songea qu'à unir les deux nations, et à faire perdre les distinctions du peuple conquérant et du peuple vaincu. Il abandonna, après la conquête, tous les préjugés qui lui avaient servi à la faire. Il prit les mœurs des Perses, pour ne point désoler les Perses, en leur faisant prendre les mœurs des Grecs. C'est ce qui fit qu'il marqua tant de respect pour la femme et pour la mère de Darius, et qu'il montra tant de continence; c'est ce qui le fit tant regretter des Perses. Qu'est-ce que ce conquérant qui est pleuré de tous les peuples qu'il a soumis? Qu'est-ce que cet usurpateur sur la mort duquel la famille qu'il a renversée du trône verse des larmes? C'est un trait de cette vie dont les historiens ne nous disent pas que quelque autre conquérant se puisse vanter.

«Rien n'affermit plus une conquête que l'union qui se fait des deux peuples par des mariages. Alexandre prit des femmes de la nation qu'il avait vaincue; il voulut que ceux de sa cour en prissent aussi; le reste des Macédoniens suivit cet exemple. Les Francs et les Bourguignons permirent ces mariages; les Visigoths les défendirent en Espagne, et ensuite ils les permirent. Les Lombards ne les permirent pas seulement, mais ils les favorisèrent. Quand les Romains voulurent affaiblir la Macédoine, ils y établirent qu'il ne pourrait se faire d'union par mariages entre les peuples des provinces.

«Alexandre qui cherchait à unir les deux peuples, songea à faire dans la Perse un grand nombre de colonies grecques. Il bâtit une infinité de villes, et il y cimenta si bien toutes les parties de ce nouvel empire, qu'après sa mort, dans le trouble et la confusion des plus affreuses guerres civiles, après que les Grecs se furent, pour ainsi dire, anéantis eux-mêmes, aucune province de Perse ne se révolta.

«Pour ne point trop épuiser la Grèce et la Macédoine, il envoya à Alexandrie une colonie de Juifs; il ne lui importait quelles mœurs eussent ces peuples, pourvu qu'ils lui fussent fidèles.»

XVI

Voici, selon Montesquieu, comment, dans l'état florissant de la république, Rome perdit tout à coup sa liberté.

«Dans le feu des disputes entre les patriciens et les plébéiens, ceux-ci demandèrent que l'on donnât des lois fixes, enfin que les jugements ne fussent plus l'effet d'une volonté capricieuse ou d'un pouvoir arbitraire. Après bien des résistances, le Sénat y acquiesça. Pour composer ces lois on nomma des décemvirs. On crut qu'on devait leur accorder un grand pouvoir, parce qu'ils avaient à donner des lois à des partis qui étaient presque incompatibles. On suspendit la nomination de tous les magistrats, et dans les comices ils furent élus seuls administrateurs de la république. Ils se trouvèrent revêtus de la puissance consulaire et de la puissance tribunitienne. L'une leur donnait le droit d'assembler le Sénat, l'autre celui d'assembler le peuple. Dix hommes dans la république eurent seuls toute la puissance exécutrice, toute la puissance des jugements. Rome se vit soumise à une tyrannie aussi cruelle que celle de Tarquin. Quand Tarquin exerçait ses vexations, Rome était étonnée du pouvoir qu'il avait usurpé; quand les décemvirs exercèrent les leurs, Rome fut étonnée du pouvoir qu'elle avait donné.

«Mais quel était ce système de tyrannie produit par des gens qui n'avaient obtenu le pouvoir politique et militaire que par la connaissance des affaires civiles, et qui, dans les circonstances de ce temps-là, avaient besoin, au dedans, de la lâcheté des citoyens pour qu'ils se laissassent gouverner, et de leur courage, au dehors, pour les défendre?

«Le spectacle de la mort de Virginie immolée par son père à la pudeur et à la liberté fit évanouir la puissance des décemvirs. Chacun se trouva libre, parce que chacun fut offensé; tout le monde devint citoyen, parce que tout le monde se trouva père. Le Sénat et le peuple rentrèrent dans une liberté qui avait été confiée à des tyrans ridicules.

«Le peuple romain, plus qu'un autre, s'émouvait par les spectacles. Celui du corps sanglant de Lucrèce fit finir la royauté. Le débiteur qui parut sur la place, couvert de plaies, fit changer la forme de la république. La vue de Virginie fit changer les décemvirs. Tour faire condamner Manlius, il fallut ôter au peuple la vue du Capitole. La robe sanglante de César remit Rome dans la servitude.»

XVII

Après ces aperçus très-généraux et très-fautifs sur les lois politiques, Montesquieu passe aux lois qui règlent les rapports des citoyens entre eux. Mauvais publiciste, il redevient bon magistrat; c'est son métier; il analyse assez justement les causes de ces lois, mais il les quitte vite et revient, on ne sait pourquoi, aux lois politiques. Ce qu'il dit des troupes est plus ingénieux que vrai; le voici:

«Une maladie nouvelle s'est répandue en Europe; elle a suivi nos princes, et leur a fait entretenir un nombre désordonné de troupes. Elle a ses redoublements, et elle devient nécessairement contagieuse: car sitôt qu'un

État augmente ce qu'il appelle ses troupes, les autres soudain augmentent les leurs, de façon qu'on ne gagne rien par là que la ruine commune. Chaque monarque tient sur pied toutes les armées qu'il pourrait avoir si les peuples étaient en danger d'être exterminés, et on nomme paix cet état d'efforts de tous contre tous. Aussi l'Europe est-elle si ruinée, que les particuliers qui seraient dans la situation où sont les trois puissances de cette partie du monde les plus opulentes, n'auraient pas de quoi vivre. Nous sommes pauvres avec les richesses et le commerce de tout l'univers; et bientôt à force d'avoir des soldats, nous n'aurons plus que des soldats et nous serons comme des Tartares.

«Les grands princes, non contents d'acheter les troupes des plus petits, cherchent de tous côtés à payer des alliances, c'est-à-dire presque toujours à perdre leur argent.

«La suite d'une telle situation est l'augmentation perpétuelle des tributs, et ce qui prévient tous les remèdes à venir; on ne compte plus sur les revenus, mais on fait la guerre avec son capital. Il n'est pas inouï de voir des États hypothéquer leurs fonds pendant la paix même, et employer pour se ruiner des moyens qu'ils appellent extraordinaires, et qui le sont si forts, que le fils de famille le plus dérangé les imagine à peine.

«La maxime des grands empires d'Orient, de remettre les tributs aux provinces qui ont souffert, devrait bien être portée dans les États monarchiques. Il y en a bien où elle est établie; mais elle accable plus que si elle n'y était pas, parce que le prince n'en levant ni plus ni moins, tout l'État devient solidaire. Pour soulager un village qui paye mal, on charge un autre qui paye mieux; on ne rétablit point le premier, on détruit le second.

Le peuple est désespéré entre la nécessité de payer, de peur des exactions, et le danger de payer, crainte des surcharges.

«Un État bien gouverné doit mettre pour le premier article de sa dépense une somme réglée pour les cas fortuits. Il en est du public comme des particuliers, qui se ruinent lorsqu'ils dépensent exactement les revenus de leurs terres.»

XVIII

Il définit bien la liberté légale:—«le droit de faire ce que les lois permettent.» La liberté naturelle est l'objet de la police des sauvages; l'indépendance des particuliers est l'objet des lois de la Pologne, et ce qui en résulte, c'est l'oppression de tous.

Il avait prévu l'oppression de la Prusse, de la Russie, de l'Autriche; tout principe faux de liberté, tout sophisme de civilisation porte en lui sa peine.

Il exalte d'une manière absolue le gouvernement, selon lui parfait, de l'Angleterre.

Il conseille aux États de régir leurs finances comme des particuliers économes.

Cette dernière considération est radicalement fausse.

La comparaison d'un particulier et d'un État est un sophisme dont on ne peut guérir les esprits irréfléchis. Ils ont plus besoin d'une comparaison que d'une vérité!

Le particulier a besoin d'un trésor en réserve parce qu'il est particulier et que s'il ne trouve pas sous sa main un trésor réservé pour les cas extrêmes, personne ne le lui fournira. L'État, au contraire, n'a nul besoin de stériliser la richesse en n'en faisant point usage, parce qu'il est l'État et que ses sujets, enrichis par l'usage bien entendu de leurs richesses, en fourniront par l'emprunt, véritable trésor des États bien gouvernés.

Le particulier meurt et l'État immortel vit éternellement.

Le particulier n'a qu'une richesse bornée, il en atteint le terme et il tombe dans l'insolvabilité.

La richesse de l'État est illimitée et elle s'accroît autant que le travail de la nation. Une seule industrie créée, telle que celle des chemins de fer, centuple sa richesse. On est étonné que Montesquieu n'ait pas su distinguer entre ces deux conditions complétement différentes, et qu'il ait donné faveur à ce misérable sophisme, l'opposé de toute vérité.

Le premier Napoléon avait le même préjugé. Il ne se soutenait que par la dépouille du monde conquis et rançonné; quand ces rançons et ces dépouilles, qui s'élevaient à trois cents millions dans ses caves, furent dépensées, il tomba, et, quand ses États, changeant de système après sa chute, eurent recours à l'emprunt, ils payèrent facilement la rançon de la France et la France fut sauvée et riche.

Maintenant, il faut le reconnaître, l'État a adopté le système de l'emprunt et la France regorge d'opulence.

Il ne s'agit que de modérer sa richesse.

XIX

Le quatorzième livre de l'*Esprit des Lois* est le plus erroné de tous. Montesquieu, cherchant toujours des causes générales, attribue aux différences des climats les différences de caractères des peuples.

«L'air froid resserre les extrémités des fibres extérieures de notre corps; cela augmente leur ressort et favorise le retour du sang des extrémités vers le cœur. Il diminue la longueur de ces mêmes fibres, il augmente donc encore par là leur force. L'air chaud, au contraire, relâche les extrémités des fibres et les allonge; il diminue donc leur force et leur ressort.

«On a donc plus de vigueur dans les climats froids. L'action du cœur et la réaction des extrémités des fibres s'y font mieux, les liqueurs sont mieux en équilibre, le sang est plus déterminé vers le cœur, et réciproquement le cœur a plus de puissance. Cette force, plus grande, doit produire bien des effets: par exemple, plus de confiance en soi-même, c'est-à-dire plus de courage; plus de connaissance de sa supériorité, c'est-à-dire moins de désir de la vengeance; plus d'opinion de sa sûreté, c'est-à-dire plus de franchise, moins de soupçons, de politique et de ruses. Enfin, cela doit faire des caractères bien différents. Mettez un homme dans un lieu chaud et enfermé: il souffrira, par les raisons que je viens de dire, une défaillance de cœur très-grande. Si, dans cette circonstance, on va lui proposer une action hardie, je crois qu'on l'y trouvera très-peu disposé; sa faiblesse présente mettra un découragement dans son âme; il craindra tout, parce qu'il sentira qu'il ne peut rien. Les peuples des pays chauds sont timides comme les vieillards le sont; ceux des pays froids sont courageux comme le sont les jeunes gens.

«Si nous faisons attention aux dernières guerres, qui sont celles que nous avons le plus sous nos yeux, et dans lesquelles nous pouvons mieux voir de certains effets légers, imperceptibles de loin; nous citerons bien que les peuples du Nord transportés dans les pays du Midi, n'y ont pas fait d'aussi belles actions que leurs compatriotes, qui, combattant dans leur propre climat, y jouissaient de tout leur courage.

«La force des fibres des peuples du Nord fait que les sucs les plus grossiers sont tirés des aliments. Il en résulte deux choses: l'une, que les parties du chyle ou de la lymphe, sont plus propres par leur grande surface à être appliquées sur les fibres et à les nourrir; l'autre, qu'elles sont moins propres, par leur grossièreté, à donner une certaine subtilité au suc nerveux. Ces peuples auront donc de grands corps et peu de vivacité.

«Les nerfs qui aboutissent de tous côtés au tissu de notre peau sont chacun un faisceau de nerfs; ordinairement, ce n'est pas tout le nerf qui est remué, c'en est une partie infiniment petite. Dans les pays chauds où le tissu de la peau est relâché, les bouts des nerfs sont épanouis et exposés à la plus petite action des objets les plus faibles. Dans les pays froids, le tissu de la peau est resserré et les mamelons comprimés, les petites houppes sont en quelque façon paralytiques; la sensation ne passe guère au cerveau que lorsqu'elle est extrêmement forte et qu'elle est de tout te nerf ensemble. Mais c'est d'un nombre infini de petites sensations que dépendent l'imagination, le goût, la sensibilité, la vivacité.

«J'ai observé le tissu extérieur d'une langue de mouton, dans l'endroit où elle paraît, à la simple vue, couverte de mamelons. J'ai vu, avec un microscope, sur ces mamelons, de petits poils ou espèce de duvet; entre les mamelons étaient des pyramides qui formaient, par le bout, comme de petits pinceaux. Il y a grande apparence que ces pyramides sont le principal organe du goût.

«J'ai fait geler la moitié de cette langue, et j'ai trouvé, à la simple vue, les mamelons considérablement diminués; quelques rangs même des mamelons s'étaient enfoncés dans leur gaîne; j'en ai examiné le tissu avec un microscope, je n'ai plus vu de pyramides. À mesure que la langue s'est dégelée, les mamelons, à la simple vue, ont paru se relever, et au microscope, les petites houppes ont commencé à reparaître.

«Cette observation confirme ce que j'ai dit, que dans les pays froids les houppes nerveuses sont moins épanouies: elles s'enfoncent dans leurs gaînes, où elles sont à couvert de l'action des objets extérieurs. Les sensations sont donc moins vives.

«Dans les pays froids, on aura peu de sensibilité pour les plaisirs; elle sera plus grande dans les pays tempérés; dans les pays chauds, elle sera extrême. Comme on distingue les climats par les degrés de latitude, on pourrait les distinguer, pour ainsi dire, par les degrés de sensibilité. J'ai vu les opéras d'Angleterre et d'Italie: ce sont les mêmes pièces et les mêmes acteurs; mais la même musique produit des effets si différents sur les deux nations, l'une est si calme et l'autre si transportée, que cela paraît inconcevable; ce n'est pas la même musique.

«Il en sera de même de la douleur; elle est excitée en nous par le déchirement de quelques fibres de notre corps. L'Auteur de la nature a établi que cette douleur serait plus forte à mesure que le dérangement serait plus grand: or, il est évident que les grands corps et les fibres grossières des peuples du Nord sont moins capables de dérangement que les fibres délicates des peuples des pays chauds; l'âme y est donc moins sensible à la douleur. Il faut écorcher un Moscovite pour lui donner du sentiment.

«Avec cette délicatesse d'organes que l'on a dans les pays chauds, l'âme est souverainement émue par tout ce qui a du rapport à l'union des deux sexes; tout conduit à cet objet.

«Dans les climats du Nord, à peine le physique de l'amour a-t-il la force de se rendre bien sensible; dans les climats tempérés, l'amour, accompagné de mille accessoires, se rend agréable par des choses qui d'abord semblent être lui-même et ne sont pas encore lui: dans les climats plus chauds, on aime l'amour pour lui-même, et il est la cause unique du bonheur, il est la vie.

«Dans les pays du Midi, une machine délicate, faible, mais sensible, se livre à un amour qui dans un sérail naît et se calme sans cesse, ou bien à un amour qui, laissant les femmes dans une plus grande indépendance, est exposé à mille troubles. Dans les pays du Nord, une machine saine et bien constituée, mais lourde, trouve ses plaisirs dans tout ce qui peut remettre les esprits en mouvement, la chasse, les voyages, la guerre, le vin. Vous trouverez dans les climats du Nord des peuples qui ont peu de vices, assez de vertus, beaucoup de sincérité et de franchise.

«Approchez des pays du Midi, vous croirez vous éloigner de la morale même; des passions plus vives multiplieront les crimes; chacun cherchera à prendre sur les autres tous les avantages qui peuvent favoriser ces mêmes passions. Dans les pays tempérés vous verrez des peuples inconstants dans leurs manières, dans leurs vices mêmes et dans leurs vertus: le climat n'y a pas une qualité aussi déterminée pour les fixer eux-mêmes.

«La chaleur du climat peut être si excessive, que le corps y sera absolument sans force. Pour lors, l'abattement passera à l'esprit même; aucune curiosité, aucune noble entreprise, aucun sentiment généreux; les inclinations y seront toutes passives; la paresse y fera le bonheur; la plupart des châtiments y seront moins difficiles à soutenir que l'action de l'âme, et la servitude moins insupportable que la force d'esprit, qui est nécessaire pour se conduire soi-même.

«Nous avons déjà dit que la grande chaleur énervait la force et le courage des hommes, et qu'il y avait dans les climats froids une certaine force de corps et d'esprit qui rendait les hommes capables des actions longues, pénibles, grandes et hardies. Cela se remarque non-seulement de nation à nation, mais encore, dans le même pays, d'une partie à une autre. Les peuples du nord de la Chine sont plus courageux que ceux du midi; les peuples du midi de la Gorée ne le sont pas tant que ceux du nord.

«Il ne faut donc pas être étonné que la lâcheté des peuples des climats chauds les ait presque toujours rendus esclaves, et que le courage des peuples des climats froids les ait maintenus libres. C'est un effet qui dérive de sa cause naturelle.

«Ceci s'est encore trouvé vrai dans l'Amérique; les empires despotiques du Mexique et du Pérou étaient vers la ligne, et presque tous les petits peuples libres étaient et sont encore vers les pôles.

«Les relations nous disent que le nord de l'Asie, ce vaste continent qui va du 40e degré ou environ jusqu'au pôle, et des frontières de la Moscovie jusqu'à la mer Orientale, est dans un climat très-froid; que ce terrain immense est divisé de l'ouest à l'est par une chaîne de montagnes qui laissent au nord la Sibérie et au midi la grande Tartarie; que le climat de la Sibérie est si froid, qu'à la réserve de quelques endroits, elle ne peut être cultivée; et que, quoique les Russes aient des établissements tout le long de l'Irtis, ils n'y cultivent rien; qu'il ne vient dans ce pays que quelques petits sapins et arbrisseaux; que les naturels du pays sont divisés en de misérables peuplades, qui sont comme celles du Canada; que la raison de cette froidure vient, d'un côté, de la hauteur du terrain, et de l'autre, de ce qu'à mesure que l'on va du midi au nord les montagnes s'aplanissent; de sorte que le vent du nord souffle partout sans trouver d'obstacles; que ce vent qui rend la Nouvelle-Zemble inhabitable, soufflant dans la Sibérie, la rend inculte; qu'en Europe, au contraire, les montagnes de Norvége et de Laponie sont des boulevards admirables qui couvrent de ce vent les pays du nord; que cela fait qu'à Stockholm, qui est à 59e degrés de latitude ou environ, le terrain produit des fruits, des grains, des plantes; et qu'autour d'Abo qui est au 61e degré, de même que vers les 63e et les 64e, il y a des mines d'argent, et que le terrain est assez fertile.

«Nous voyons encore dans les relations que la Grande Tartarie, qui est au midi de la Sibérie, est aussi très-froide; que le pays ne se cultive point; qu'on n'y trouve que des pâturages pour les troupeaux; qu'il n'y croît point d'arbres, mais quelques broussailles, comme en Islande; qu'il y a, auprès de la Chine et du Mogol, quelques pays où il croît une espèce de millet, mais que le blé ni le riz n'y peuvent mûrir; qu'il n'y a guère d'endroits, dans la Tartarie chinoise, aux 43e, 44e et 45e degrés, où il ne gèle sept ou huit mois de l'année; de sorte qu'elle est aussi froide que l'Islande, quoiqu'elle dut être plus chaude que le midi de la France; qu'il n'y a point de villes, excepté quatre ou cinq vers la mer Orientale, et quelques-unes que les Chinois, par des raisons de politique, ont bâties près de la Chine; que, dans le reste de la Grande Tartarie, il n'y en a que quelques-unes placées dans les Boucharies, Turkestan et Charrisme; que la raison de cette extrême froidure vient de la nature du terrain nitreux, plein de salpêtre et sablonneux, et de plus de la hauteur du terrain. Le P. Verbiest avait trouvé qu'un certain endroit, à 80 lieues au nord de la grande muraille, vers la source de Kavamhuram, excédait la hauteur du rivage de la mer près de Pékin de 3,000 pas géométriques; que cette hauteur est cause que, quoique quasi toutes les grandes rivières de l'Asie aient leur source dans le pays, il manque cependant d'eau, de façon qu'il ne peut être habité qu'auprès des rivières et des lacs.

«Ces faits posés, je raisonne ainsi: L'Asie n'a point proprement de zone tempérée, et les lieux situés dans un climat très-froid y touchent immédiatement ceux qui sont dans un climat très-chaud, c'est-à-dire la Turquie, la Perse, le Mogol, la Corée et le Japon.

«En Europe, au contraire, la zone tempérée est très-étendue, quoiqu'elle soit située dans des climats très-différents entre eux, n'y ait point de rapport entre les climats d'Espagne et d'Italie, et ceux de Norvége et de Suède. Mais, comme le climat y devient insensiblement froid en allant du midi au nord, à peu près à proportion de la latitude de chaque pays, il y arrive que chaque pays est à peu près semblable à celui qui en est voisin; qu'il n'y a pas une notable différence, et que, comme je viens de le dire, la zone tempérée y est très-étendue.

«De là il suit qu'en Asie les nations sont opposées aux nations du fort et du faible; les peuples guerriers braves et actifs touchent immédiatement des peuples efféminés, paresseux, timides: il faut donc que l'un soit conquis, et l'autre conquérant. En Europe, au contraire, les nations sont opposées du fort au fort; celles qui se touchent ont à peu près le même courage. C'est la grande raison de la faiblesse de l'Asie et de la force de l'Europe, de la liberté de l'Europe et de la servitude de l'Asie; cause que je ne sache pas que l'on ait encore remarquée. C'est ce qui fait qu'en Asie, il n'arrive jamais que la liberté augmente; au lieu qu'en Europe, elle augmente ou diminue selon les circonstances.

«Que la noblesse moscovite ait été réduite en servitude par un de ses princes, on y verra toujours des traits d'impatience que les climats du Midi ne donnent point. N'y avons-nous pas vu le gouvernement aristocratique établi pendant quelques jours? Qu'un autre royaume du Nord ait perdu ses lois, on peut s'en fier au climat, il ne les a pas perdues d'une manière irrévocable.»

XX

Quelle série d'inconséquences et quelle profondeur d'ignorance! Est-ce que les Grecs n'ont pas vaincu la Sicile et les Campaniens? Est-ce qu'Alexandre n'a pas triomphé des Scythes? Est-ce que les Romains, habitant le plus chaud climat de l'univers, n'ont pas attaqué les Parthes, les Gaulois et les Germains dans les forêts? Les Perses n'ont-ils pas prévalu longtemps sur les Grecs et sur tous les peuples septentrionaux de l'Inde? Les Romains n'ont-ils pas courbé les pays chauds ou froids sous leurs lois? Les Espagnols de Charles-Quint n'ont-ils pas assujetti les Pays-Bas et la Hollande glacée? Les Français n'ont-ils jamais vaincu ni les Allemands, ni les Russes? Les Espagnols n'ont-ils pas repoussé ces mêmes Français de leur pays? La supériorité des peuples et des lois tient à des causes mobiles et multiples qu'une intelligence comme celle de Montesquieu devait étudier et approfondir, au lieu de l'attribuer à une seule cause que la nature et l'histoire démentent à chaque ligne de la vie des nations.

Son opinion sur l'esclavage ne le repousse pas; il ne tend qu'à l'adoucir.

Celle sur les mariages est très-peu chrétienne et très-libre: il admet la réclusion des femmes dans les États conservateurs.

Tout ce qu'il dit sur la famille, en Orient, est dépourvu de notions vraies et justes. Ce n'est pas la loi, c'est la religion qui y protége le sexe faible.

Ce qu'il dit des causes de la population relative est également erroné. Ce n'est point la fertilité du sol qui règle la population; c'est la sécurité, la liberté, l'industrie. Telle création d'une industrie vaut une adjonction immense de territoire. Le travail favorisé et garanti vaut un empire. Voyez la Hollande à demi submergée! voyez l'Angleterre! voyez la Chine! ses quatre cents millions d'hommes sont la récompense de la sagesse miraculeuse de ses lois! Montesquieu n'y a rien compris!

XXI

Ce qu'il dit de l'influence du terrain sur la population n'est pas moins démenti par les faits. La seule population du Céleste Empire dépasse les populations réunies de l'Europe, de l'Afrique et de l'Amérique. (Quatre cents millions d'habitants vivant jusqu'ici sous une même loi.)

«Les nations qui ne cultivent pas la terre, ajoute-t-il, n'ont point de luxe.»

Voyez, en démenti de cet axiome, le luxe prodigieux de Carthage,—et celui du Tyr!—L'industrie et le commerce par la navigation produisent mille fois plus de richesses et de luxe (qui est l'abus des richesses) que la vie pastorale et agricole.

Ne lisez Montesquieu que l'histoire à la main. Elle le dément presque à toutes les lignes. L'homme est ingénieux, mais il n'est pas sûr.

De temps en temps, il voit juste, comme dans cette allusion à la France:

«S'il y avait dans le monde une nation qui eût une humeur sociable, une ouverture de cœur, une joie dans la vie, un goût, une facilité à communiquer ses pensées; qui fût vive, agréable, enjouée, quelquefois imprudente, souvent indiscrète, et qui eût avec cela du courage, de la générosité, de la franchise, un certain point d'honneur, il ne faudrait point chercher à gêner par des lois ses manières, pour ne point gêner ses vertus. Si, en général, le caractère est bon, qu'importe de quelques défauts qui s'y trouvent?

«On y pourrait contenir les femmes, faire des lois pour corriger leurs mœurs, et borner leur luxe; mais qui sait si on n'y perdrait pas un certain goût qui serait la source des richesses de la nation, et une politesse qui attire chez elle les étrangers?

«C'est au législateur de suivre l'esprit de la nation, lorsqu'il n'est pas contraire aux principes du gouvernement; car nous ne faisons rien de mieux que ce que nous faisons librement et en suivant notre génie naturel.

«Qu'on donne un esprit de pédanterie à une nation naturellement gaie, l'État n'y gagnera rien, ni pour le dedans, ni pour le dehors. Laissez-lui faire les choses frivoles sérieusement, et gaiement les choses sérieuses.»

Plus loin, il rend justice au gouvernement chinois en montrant qu'il fut le seul gouvernement philosophique:

«Les législateurs de la Chine firent plus: ils confondirent la religion, les lois, les mœurs et les manières; tout cela fut la morale, tout cela fut la vertu. Les préceptes qui regardaient ces quatre points furent ce que l'on appela les rites. Ce fut dans l'observation exacte de ces rites que le gouvernement chinois triompha. On passa toute sa jeunesse à les apprendre, toute sa vie à les pratiquer. Les lettrés les enseignèrent, les magistrats les prêchèrent; et comme ils enveloppaient toutes les petites actions de la vie, lorsqu'on trouva le moyen de les faire observer exactement, la Chine fut bien gouvernée.»

XXII

Il est évident que ce premier volume de l'*Esprit des Lois*, rempli de quelques axiomes sages et vrais, et d'une nuée d'axiomes légers et inconsidérés, n'était point un livre de législation dans la pensée de Montesquieu, mais un recueil de premiers aperçus rassemblés par lui pour faire plus tard un livre. On n'y rencontre qu'une expression toujours ingénieuse et une foule d'idées aventurées et fausses. Le manque de connaissances, de travail et de réflexion, y choque à chaque instant le lecteur. Cela ne peut servir à rien au législateur sérieux. Aristote écrivait de la politique plus solide; Machiavel, plus intelligente, en mettant de côté la pure morale; Platon, Fénelon, J. J. Rousseau écrivaient de plus beaux rêves; mais c'étaient des rêves plus dangereux que des réalités. De tous ces écrivains législateurs, le plus sensé eût été incontestablement Machiavel, si Machiavel n'avait pas trop souvent la théorie de la tyrannie à la solde des tyrans.

Montesquieu était un honnête homme, mais un écrivain trop irréfléchi. Il n'a voulu tromper personne; il s'est lui-même trompé. On lui doit estime et non confiance. Il cherchait le vrai, mais pas assez pour le trouver. Il n'a qu'un mérite: il n'a pas rêvé. Il a considéré la législation politique comme un produit de l'histoire; il a cru que la législation des peuples n'avait rien à demander à l'imagination; seulement il a imaginé l'histoire. Voilà son caractère. Il lui a dû sa colossale réputation. Aujourd'hui, ce n'est qu'un nom illustre dans notre littérature; il ne faut pas le délustrer; mais il ne peut nous être utile que par la considération qu'il donne à la France. Au moins ne lui donne-t-il point de songes et point de délire. La Révolution française l'a tué. Je croyais qu'il vivait encore, il ne vit plus. Il faut qu'un autre Montesquieu surgisse et fasse le triage des erreurs et des vérités.

Ces erreurs et ces vérités sont locales. Les influences des lois et leurs causes sont dans les mœurs, dans les habitudes, dans les territoires, dans les terres, dans les mers, dans les circonstances, dans les religions, dans les ambitions, dans les grands hommes des peuples qui les communiquent à leurs nationaux et à leur temps. L'*Esprit des Lois* n'est que le résultat de tous ces hasards: bonnes ici, les mêmes lois sont mauvaises là, selon le peuple et le temps.

Qui voudrait, excepté Saint-Just et Robespierre, gouverner la France comme la Crète, ou Lacédémone, comme Jérusalem sous ses prêtres, ou l'Égypte sous ses Pharaons? Les meilleures lois des Pyramides ou du Temple deviendraient les plus détestables axiomes appliqués au jour où nous sommes. Il n'y a qu'un esprit des lois, c'est le rapport exact des lois et des croyances. On ne peut pas faire un ouvrage dogmatique sur l'esprit des lois. On ne connaît pas leur occasion ni leur cause; on ne connaît pas même ces lois: il faudrait connaître minutieusement l'histoire de ces milliers de peuples qu'elles ont régis tour à tour. Les éléments de cette connaissance n'existent pas. Ces généralités ne s'appliquent qu'à des êtres abstraits et non à des hommes. Chaque peuple est une exception, chaque siècle est un phénomène. On ne peut dire que la tendance à tout conserver soit plus sage que la tendance à tout détruire; car, si vous examinez l'histoire à ce point de vue, alors là vous trouvez, en général, qu'il y a autant de vice à tout conserver qu'il y a de danger à tout détruire: les conservateurs à tout prix seraient donc aussi coupables que les révolutionnaires à toute heure. Voilà la vérité.

XXIII

En résumé, il n'y a pas de législation éternelle. Les législateurs en axiomes sont des esprits chimériques ou menteurs. Il n'y a pas plus de généralités pratiques en législation qu'il n'y a de panacées universelles en médecine. Les circonstances, les mœurs, le temps sont la mesure des vérités pratiques. Dieu seul sonne l'heure de l'introduction ou de l'application de ces vérités relatives, dans le gouvernement des différents groupes de ses créatures; il y mêle sa providence et sa force; et alors tout réussit.

Il n'y a qu'un axiome toujours vrai et jamais trompeur: «*Aspirez au mieux, et poussez-y le monde dans la proportion exacte de ce qu'il peut accepter et dans la proportion de votre force.*» Si vous voulez plus, vous ne serez qu'un philosophe; si vous voulez moins, vous ne serez qu'un faible d'esprit. L'absolu n'est qu'à Dieu, le relatif est à l'homme. Le législateur est l'homme qui, mesurant l'absolu à la portée de la capacité humaine de son temps, n'en verse ni trop ni trop peu dans la coupe, et fait des lois et non des théories. Le meilleur tireur n'est pas celui qui vise au blanc et qui fait un grand bruit avec son arme, mais celui qui vise juste et qui atteint l'objet qu'il s'est proposé.

LAMARTINE.

FIN DU CLVIIIe ENTRETIEN.

Paris.—Typ. de Rouge frères, Dunon et Fresné, rue du Four-St-Germain, 43

CLIXe ENTRETIEN
L'HISTOIRE, OU HÉRODOTE

I

Hérodote passe pour le premier (en ordre de date) des historiens grecs, cela n'est certainement pas vrai; car Homère, dont il a écrit la biographie, est bien plus ancien qu'Hérodote, et l'histoire a, sans contredit, précédé la poésie et surtout la poésie parfaite.

Hérodote est bien loin de Moïse, l'historien hébreu; plus loin encore des historiens fabuleux de l'Inde, ces hommes antédiluviens du Thibet, de l'Himalaya, ou de la Chine; mais enfin il passe pour le Père de l'histoire, prenons-le pour tel un moment, et faisons semblant de le croire, quoique nous n'en croyions rien. C'est une vérité convenue, c'est-à-dire un mensonge admis. Passons.

II

On sait peu de choses sur lui, pas même des fables; le Père de l'histoire n'a pas même une biographie.

Il était né à Halicarnasse, 484 ans avant Jésus-Christ. Il paraît que sa famille était distinguée et même illustre. Son père s'appelait Tixès, sa mère Dryo. On l'envoya habiter Samos. Il s'y perfectionna dans le dialecte ionien, le plus doux des dialectes grecs. Après cette étude, il entreprit de longs et lointains voyages pour connaître la terre et les hommes. Il n'écrivit que ce qu'il avait vu ou appris de la bouche des plus érudits de ses contemporains.

La Grèce, l'Ionie, l'Assyrie, l'Égypte, la Perse, les bords du Pont-Euxin, la Scythie ou la Russie, quelques parties du littoral de l'Italie et de la Sicile forment la carte de ses voyages. *Voyage historique, littéraire, religieux*, à travers le monde alors connu des Grecs, ce serait le vrai nom de ce qu'on appelle son *Histoire*. C'est un Child-Harold-Commines qui parcourt l'univers et qui le raconte. Il ne commande point la crédulité, il la discute. Son livre est plein de critique; c'est un homme d'esprit sans parti pris, qui vous mène promener à travers le monde et qui vous dit: «Regardez et concluez.» Il a aussi beaucoup d'analogie avec Voltaire dans ses *Mœurs des nations*. Bref, c'est le contraire de ce que l'on suppose de lui. Voilà pourquoi il est bon de l'étudier à fond. La plupart de nos préjugés sont des erreurs.

III

Au retour de ses voyages, Hérodote écrivit son *Histoire* à Samos. Il la lut en partie aux jeux Olympiques, en 456. Thucydide, alors âgé de quinze ans, assistait à cette lecture, et c'est là que ce jeune homme, déjà lettré, conçut la pensée d'écrire lui-même. Thucydide lui fut présenté. Cette lutte littéraire entre les premiers historiens de la Grèce devant l'Académie d'Athènes est loin de l'espèce de barbarie que l'on attribue à ces temps.

À quarante ans, il lut devant le même public son *Histoire* achevée. Les hommes éclairés le comblèrent d'éloges et l'autorisèrent à donner à chacun des livres de cette *Histoire* le nom d'une Muse, comme le seul digne de sa perfection. Le peuple ajouta à ces honneurs des gratifications pécuniaires. Mais l'envie se déchaîna contre lui et le força à quitter l'Attique et Samos. Il franchit la mer et vint habiter à Sybaris, dans la Grande Grèce. On y lit encore son épitaphe: «Cette terre recouvre le corps d'Hérodote, fils de Tixès, maître en l'art d'écrire. En fuyant la critique acharnée de ses compatriotes, il était venu chercher ici une nouvelle patrie.»

Voilà tout ce qu'on sait de la vie, des œuvres, de la mort de ce grand homme.

Parcourons son œuvre.

IV

Clio est le titre de son premier livre.

«Hérodote d'Halicarnasse expose ici le résultat de ses recherches, afin que le souvenir des événements passés ne se perde pas avec le temps; que les grandes et mémorables actions, soit des Grecs, soit des barbares, aient une juste célébrité, et que la cause des guerres qui ont éclaté entre eux soit connue.»

Il attribue toutes ces causes à des enlèvements de belles femmes, telles qu'Hélène, Médée. Plus tard, la Grèce attaque, sans motif autre que son ambition, les États voisins de l'Ionie; il en raconte les guerres presque fabuleuses; il s'attache surtout à Crésus le roi de Lydie, dont Sardes était la capitale.

«Crésus, après avoir soumis les Grecs du continent d'Asie et les avoir rendus tributaires, songea à construire une flotte pour attaquer ceux des îles. Il s'occupait de cette idée, et déjà les vaisseaux étaient sur le chantier, quand il abandonna son projet, détourné, suivant les uns, par Bias de Priène, suivant d'autres, par Pittacus de Mitylène, qui, se trouvant à Sardes, et interrogé par Crésus sur ce que l'on disait de nouveau en Grèce, lui avait répondu en ces termes: «On y fait courir le bruit que les habitants des îles lèvent dix mille hommes de cavalerie, et ont le dessein de vous attaquer dans Sardes.» Crésus, prenant ces paroles au sérieux, s'écria: «Puissent faire les dieux que réellement ces insulaires pensent à venir attaquer avec de la cavalerie les enfants de la Lydie!...» Alors, celui avec lequel il s'entretenait reprit en ces mots: «Ô Crésus, si c'est avec raison qu'une juste espérance du succès vous fait désirer vivement que les habitants des îles viennent réellement attaquer le continent avec de la cavalerie, que pensez-vous que ces mêmes insulaires doivent de leur côté souhaiter plus ardemment, lorsqu'ils ont appris que vous étiez occupé à faire construire des vaisseaux, que de rencontrer vos Lydiens en mer, et de vous voir ainsi leur offrir vous-même l'occasion de venger les malheurs des Grecs du continent, que vous venez de réduire en servitude?» Crésus, frappé de cette réflexion, et se laissant aisément persuader par ce discours plein de sens, renonça aux préparatifs maritimes qu'il avait commencés; il fit même un traité d'hospitalité réciproque avec les Ioniens des îles.

«Dans la suite, Crésus porta la guerre chez les diverses nations qui habitent en deçà du fleuve Halys, et parvint à les subjuguer toutes, à l'exception des Ciliciens et des Lyciens. Voici les noms des peuples rangés sous son obéissance: les Lydiens, les Phrygiens, les Mysiens, les Marandiniens, les Chalybiens, les Paphlagoniens, les Thraces (d'Asie), c'est-à-dire les Thyniens et les Bithyniens, les Cariens, les Ioniens, les Doriens, les Éoliens et les Pamphyliens.

«Lorsque tous les peuples soumis par Crésus eurent été ajoutés à l'empire de Lydie, on vit arriver successivement dans la ville de Sardes, alors florissante et comblée de richesses, presque tout ce que la Grèce avait, à cette époque, d'hommes célèbres par leurs connaissances et leur sagesse. De ce nombre fut Solon d'Athènes. Après avoir donné des lois aux Athéniens, qui lui en avaient demandé, il s'était décidé à s'expatrier et à voyager pendant dix ans, sous le prétexte de visiter d'autres régions, mais réellement pour n'être point forcé à changer quelque chose à ces lois. Les Athéniens ne pouvaient les modifier eux-mêmes sans violer le serment solennel qu'ils avaient fait de les observer pendant dix ans, telles que Solon les avait données.

«Dans cet état de choses, Solon, étant censé toujours voyager par curiosité, vint d'abord en Égypte, près du roi Amasis, et ensuite à Sardes, près de Crésus. Il fut reçu avec distinction, et logé dans le palais. Le troisième ou le quatrième jour après son arrivée, les domestiques de Crésus, suivant ses ordres, conduisirent Solon dans les chambres qui contenaient les trésors du roi, et lui montrèrent les immenses richesses qu'elles renfermaient et le bonheur de Crésus. Après qu'il eut vu tout en détail, et tout examiné à loisir, Crésus lui adressa ces paroles: «Mon hôte d'Athènes, comme la réputation que vous vous êtes acquise par votre sagesse et par les voyages que vous avez entrepris pour observer, en philosophe, tant de pays divers est venue jusqu'à nous, j'ai le plus grand désir d'apprendre de vous quel est l'homme que vous avez connu jusqu'ici pour le plus heureux.» En faisant cette question, Crésus était persuadé que Solon allait le nommer; mais Solon, incapable de flatter et qui ne savait dire que la vérité, répondit: «C'est Tellus l'Athénien.» Crésus, surpris, demanda vivement par quelle raison il estimait ce Tellus le plus heureux des hommes. «Tellus, répondit Solon, vivait dans un temps où Athènes était florissante. Déjà heureux du bonheur de sa patrie, il eut des enfants sains et d'un bon naturel; tous lui donnèrent des petits-fils, et il n'eut à pleurer la perte d'aucun d'eux. Enfin, il jouissait d'une fortune aisée, telle qu'on l'entend parmi nous, et termina sa vie par la mort la plus brillante. Dans un combat qui eut lieu entre les Athéniens et leurs voisins d'Éleusis, après avoir déployé une rare valeur, et mis en fuite un grand nombre d'ennemis, il périt glorieusement. Athènes lui fit élever, aux frais du trésor public, un tombeau dans la place même où il avait succombé, et rendit à sa mémoire les plus grands honneurs.»

«Solon ayant ainsi trompé tout à fait l'opinion de Crésus en insistant avec autant de détails sur le bonheur de Tellus, le roi lui demanda quel était, après Tellus, celui qu'il placerait au second rang, espérant l'obtenir au moins pour lui. «Je le donnerais, repartit Solon, à Cléobis et à Biton. Ces deux frères, originaires d'Argos, vivaient dans une honnête aisance; ils étaient de plus distingués par la force du corps, et avaient remporté des prix dans les jeux publics. Voici ce que l'on raconte d'eux. On célébrait à Argos la fête de Junon, et leur mère se préparait à monter sur son char pour se rendre au temple; mais les bœufs, qui devaient être attelés, n'étaient point encore revenus des champs. Les deux jeunes gens, surpris par l'heure, prennent la place des animaux, et, se mettant eux-mêmes sous le joug, traînent le char sur lequel leur mère s'était assise. Ils parcoururent ainsi l'espace de quarante-cinq stades pour arriver au temple. La mort la plus heureuse fut la récompense de cet acte de piété filiale, qui se passa à la vue de tout le peuple rassemblé pour la fête; et la Divinité déclara, dans cette occasion, qu'il est plus heureux pour les hommes de mourir que de continuer à vivre. Les citoyens d'Argos, témoins de ce spectacle, admiraient la force des jeunes gens, et leur donnaient de grands éloges: les femmes félicitaient la mère, et l'estimaient heureuse d'avoir de tels fils. Enivrée de joie, et flattée également de l'action de ses enfants et des applaudissements qu'elle recevait, la mère de Cléobis et de Biton, debout en face de la statue de Junon, pria pour ses enfants, qui venaient de lui donner une si grande preuve de respect, et conjura la déesse de leur accorder ce qu'il y avait de meilleur pour l'homme. Cette prière faite, les jeunes gens offrirent leur sacrifice, et, après le festin qui le suivit, s'endormirent dans le temple même. Ils ne se réveillèrent pas, et finirent ainsi de vivre. Les Argiens consacrèrent leurs images à Delphes, comme celles de deux hommes parfaitement pieux.»

«C'est ainsi que Solon assigna la seconde place aux deux Grecs. Crésus, mécontent, s'écria: «Ainsi, Solon, vous comptez ma prospérité pour si peu de chose, que vous ne daignez pas me mettre sur la même ligne que ces simples particuliers?—Ô Crésus, repartit Solon, pourquoi m'interrogez-vous sur la destinée des hommes, moi qui sais combien la Divinité, toujours jalouse des prospérités humaines, est prompte à les bouleverser? Que de choses nous sommes condamnés à voir et à souffrir dans le cours d'un long âge! Supposons que soixante-dix années soient le terme de la vie d'un homme. Ces soixante-dix années donnent vingt-cinq mille deux cents jours, sans compter les mois intercalaires; et, si nous faisons une année sur deux plus longue d'un mois pour ramener les saisons aux époques convenables, nous aurons, pour soixante-dix années, trente-cinq mois intercalaires, et ces trente-cinq mois donneront mille cinquante jours. La totalité des soixante-dix années sera par conséquent de vingt-six mille deux cent cinquante jours, et cependant il n'y a pas un seul de ces jours qui soit, dans toutes ces circonstances, exactement semblable à un autre. L'homme est donc, ô Crésus, tout misère! Vous vous montrez aujourd'hui riche et puissant à mes yeux; je vous vois roi d'un grand peuple; cependant, je ne dirai pas de vous ce que vous me demandez de dire, jusqu'à ce que j'apprenne que votre vie a fini heureusement. Hélas! l'homme le plus riche n'est pas plus heureux que celui qui vit au jour le jour, si le sort ne lui laisse pas terminer sa carrière dans cet état de prospérité; on voit même des hommes avec de grandes richesses être malheureux, tandis que beaucoup d'autres dans la médiocrité sont parfaitement heureux. En effet, l'homme qui possède ces grandes richesses et qui n'est pas satisfait d'ailleurs, n'a sur celui qui, pauvre, est cependant bien partagé en toute autre chose, que deux sortes d'avantages, tandis que celui-ci en a une foule sur l'homme riche et malheureux du reste. L'un peut, à la vérité, remplir tous ses désirs, et réparer promptement une perte ou un dommage qu'il éprouve; mais l'autre, s'il n'a pas la même facilité, est déjà (dans l'état de bonheur où nous le supposons) à l'abri de ces désirs ou de ces pertes. De plus (toujours dans la même supposition) il jouit de toutes ses facultés, il est d'une bonne santé, exempt de maux, content de ses enfants, d'une belle figure; et, si, indépendamment de tant d'avantages, il termine bien sa carrière, il sera celui que vous cherchez, et digne d'être appelé heureux; mais, avant sa mort, il faut suspendre notre jugement et l'appeler, jusque-là, l'homme favorisé de la fortune, et non l'homme heureux. Actuellement, ô Crésus, réunir tant de biens n'est pas d'un mortel. Une même contrée ne produit pas toutes les choses nécessaires; elle en donne une, il lui en manque une autre; seulement, celle qui en fournit le plus est regardée comme la meilleure: il en est ainsi de l'homme. Un même individu n'a pas tous les avantages: il en possède quelques-uns, d'autres lui sont refusés. Celui qui, dans le cours de la vie, se maintient avec le plus grand nombre de ces avantages, et arrive au terme sans les avoir perdus, est celui seul qui, à mon avis, est digne de porter le nom d'heureux. Il faut donc, dans toutes les choses, considérer leur fin et comme elles se résolvent, puisque la Divinité ruine souvent de fond en comble ceux à qui elle a fait entrevoir la félicité.»

«Solon se tut. Crésus, de plus en plus mécontent, cessa de faire cas du sage, et le renvoya. Il finit même par regarder comme un homme sans lumières celui qui, mettant de côté la prospérité présente, recommandait d'attendre la fin de toutes choses pour les juger.

«Lorsque Solon fut parti, la Divinité voulut, à ce qu'il paraît, par une vengeance éclatante, punir Crésus de s'être estimé le plus heureux des hommes; et un songe qu'il eut peu de temps après lui présagea le sort funeste d'un de ses enfants. Crésus avait deux fils: l'un, très-maltraité par la nature, était muet; l'autre, au contraire, surpassait en tout les jeunes gens de son âge: ce dernier s'appelait Atys. Crésus vit donc en songe Atys périr, blessé par une pointe de fer. Il se réveille frappé de terreur, et, après avoir réfléchi sur son rêve, il se détermine à donner une femme à son fils, et lui ôte le commandement de ses troupes qu'il avait coutume de lui confier. En même temps il ordonna de retirer de l'appartement des hommes les lances, les javelots, enfin toutes les armes en usage à la guerre, et les fit déposer dans l'intérieur du palais, de crainte qu'une de ces armes qui sont ordinairement suspendues aux murailles n'atteignît son fils.

«Tandis qu'on faisait les préparatifs du mariage d'Atys, on vit arriver à Sardes un homme poursuivi par le malheur, et dont les mains étaient souillées. Il était Phrygien de nation, et de race royale. Il se présenta au palais du roi, et le supplia de le purifier suivant le mode d'expiation établi par les lois du pays. Crésus y consentit, et le purifia. Le mode d'expiation des Lydiens est à peu près semblable à celui qui est en usage chez les Grecs. Lorsque la cérémonie expiatoire fut terminée, Crésus, voulant savoir qui était cet homme et d'où il sortait, lui adressa la parole en ces termes: «Étranger, dites-moi qui vous êtes, de quel lieu de la Phrygie êtes-vous venu vous asseoir en suppliant près de mes foyers? Enfin, quel homme ou quelle femme a péri par vos mains?—Ô roi, répondit l'étranger, je suis fils de Gordius et petit-fils de Midas. Mon nom est Adraste. J'ai tué involontairement mon frère: après ce meurtre, mon père m'a chassé; et je suis aujourd'hui sans asile.—Ceux à qui vous devez le jour, reprit Crésus, sont nos amis, et c'est parmi des amis que vous vous trouvez ici. Restez avec nous, vous n'y manquerez de rien; en supportant patiemment votre disgrâce, vous l'allégerez, et vous lui serez peut-être redevable d'un meilleur sort.» Adraste continua donc à vivre près de Crésus.

«En ce temps, un sanglier d'une grosseur extraordinaire, né dans l'Olympe Mysien et sorti de cette montagne, désolait le pays et ruinait tous les travaux champêtres. Plusieurs fois, les Mysiens s'étaient réunis pour l'attaquer, mais n'avaient pu l'atteindre, et le mal qu'il leur faisait s'accroissait de jour en jour. Enfin ils envoyèrent des députés qui, se présentant devant Crésus, lui parlèrent ainsi: «Ô roi, un sanglier d'une grandeur démesurée désole nos campagnes, et, malgré tous nos efforts, nous n'avons pu parvenir à le détruire. Nous vous supplions donc de laisser venir avec nous votre fils, et d'envoyer des jeunes gens et des chiens pour nous aider à délivrer notre pays de ce monstre.» Crésus, qui n'avait point oublié ce qu'il avait vu en songe, leur répondit: «Il ne faut pas parler de mon fils, je ne puis vous le donner: il vient de se marier, et d'autres soins l'occupent. Mais je ferai partir une troupe choisie de chasseurs, avec tout ce qui leur sera nécessaire, et je leur prescrirai de se réunir à vous pour délivrer votre pays du sanglier qui le dévaste.»

«Telle fut la réponse de Crésus. Les Mysiens, satisfaits, allaient se retirer; mais Atys, qui avait entendu leur demande, apprenant que son père s'y était refusé, entra et parla en ces termes: «Ô mon père, c'était autrefois mon plus beau droit et mon plus noble privilége d'aller chercher la gloire à la guerre ou dans les chasses périlleuses. Maintenant, vous me tenez renfermé dans un honteux repos, comme si vous aviez à me reprocher quelque marque de crainte ou quelque faiblesse! De quel œil voulez-vous que l'on me voie tous les jours aller à la place publique, et en revenir? Quelle opinion vont prendre de moi mes concitoyens? Quelle idée s'en fera ma nouvelle épouse? À quelle homme pensera-t-elle s'être unie? Ou laissez-moi la liberté d'aller à cette chasse, ou veuillez, du moins, m'expliquer comment vous croyez me servir en vous y refusant?

«—Ô mon fils, répondit Crésus, si j'en use ainsi, ce n'est pas que j'aie aperçu en toi quelque marque de faiblesse, ou que tu m'aies déplu. Je cède seulement à la crainte que m'inspire un songe que j'ai eu pendant mon sommeil: il m'avertit que tu dois vivre peu de temps, et que la blessure d'une pointe de fer causera ta mort. C'est ce songe qui m'a fait presser ton mariage; il m'empêche de te laisser prendre part à la chasse qui se prépare, et me force à te tenir renfermé près de moi pour te dérober, s'il est possible, au moins pendant ma vie, au péril qui te menace. Hélas! je n'ai que toi d'enfant; je ne puis, tu le sais, compter ton frère, à qui le sens de l'ouïe manque entièrement.

«—Ô mon père! répliqua le jeune homme, le songe que vous avez eu justifie la contrainte où vous me retenez, et je dois vous en savoir gré. Qu'il me soit permis cependant de vous dire que, dans ce moment, vous oubliez le sens véritable de votre songe, et il est facile de vous le prouver. Vous me dites qu'il annonce que je dois périr par la pointe d'un fer; mais un sanglier a-t-il des mains? Quelle pointe de fer avez-vous donc à redouter ici? Si je devais, par exemple, périr sous la dent de quelque bête sauvage, ou de toute autre manière, il serait, j'en conviens, raisonnable d'agir comme vous le faites; mais, puisqu'il n'est point question de combat entre hommes, laissez-moi aller.

«—Tu l'emportes, mon fils, reprit Crésus; cette explication que tu donnes à mon rêve me persuade, et je cède à tes raisons; je reviens donc sur ma résolution, et consens que tu prennes part à cette chasse.»

«En achevant ces mots, Crésus fit appeler le Phrygien Adraste et lui parla ainsi: «Adraste, lorsque, chargé du poids importun d'un malheur que je suis loin de vous reprocher, vous êtes venu me trouver, je vous ai purifié. Je vous ai ensuite admis dans ma propre maison, et je n'ai rien épargné pour subvenir à vos besoins. Je dois aujourd'hui compter que, pour prix de ces services, vous êtes prêt à m'en rendre. Je vous charge donc de la garde de mon fils, qui va partir pour la chasse, et de sa défense, si quelques brigands viennent vous attaquer sur la route. Il convient, d'ailleurs, que vous vous montriez partout où l'occasion de se distinguer par des actions d'éclat peut se présenter. C'est une inclination que vous devez tenir de votre naissance, et la force du corps ne vous manque pas pour la suivre.

«—Je ne me serais pas, dit Adraste, proposé pour cette expédition: je sais trop bien qu'il ne faut pas qu'un malheureux tel que moi se mêle avec ceux de son âge qui n'ont encore connu que la prospérité. Je n'en formais même pas le désir, et j'ai su m'abstenir d'une demande indiscrète. Mais, puisque c'est vous-même qui le souhaitez et que je dois consentir à tout ce qui vous est agréable (je n'ai que ce moyen de reconnaître vos bienfaits), je suis prêt à faire ce que vous attendez de moi: comptez donc que je vous ramènerai le fils dont vous me confiez la garde, et qu'il sera préservé de tout mal, autant que cela pourra dépendre du défenseur que vous lui donnez.»

«Après cette réponse, l'un et l'autre se mirent en marche, accompagnés d'une troupe choisie de jeunes gens, et suivis d'un grand nombre de chiens. Ils arrivent au mont Olympe, et l'on se met en quête du sanglier. On le rencontre, on parvient à l'entourer de toutes parts; et les chasseurs, formant un cercle autour de lui, l'attaquent à coups de traits. Dans ce moment, l'hôte de Crésus, celui que Crésus avait purifié, Adraste lance sa javeline, manque le but, et, au lieu de frapper l'animal, atteint le fils de Crésus, qui, blessé mortellement par une pointe de fer, accomplit en mourant le funeste présage du songe. Un messager, arrivé en toute hâte à Sardes, annonça à Crésus et le succès de la chasse et la mort de son fils.

«Crésus, consterné, ressentait une douleur d'autant plus vive, que ce fils avait lui-même présidé à la purification du meurtrier. Dans son désespoir, il invoquait Jupiter Expiateur, et le prenait à témoin du crime de l'étranger qu'il avait admis chez lui comme son hôte. Il adjurait encore ce même dieu par les noms de Jupiter Éphestien et de Jupiter Hétéréen: sous le premier, comme protecteur des foyers, parce qu'il avait permis que le meurtrier de son fils vécût dans sa maison et y jouît des droits de l'hospitalité; sous le second, comme garant de la foi entre les compagnons d'armes, parce que le compagnon et le gardien de son fils était devenu son plus cruel ennemi.

«Cependant parurent les Lydiens portant le corps inanimé: le meurtrier suivait derrière: arrivé en présence du roi, il se plaça en avant du cadavre, puis, les mains étendues, se livra lui-même à Crésus, le conjurant de l'égorger sur le corps de son fils, et s'écriant qu'il ne lui était plus permis de vivre après avoir causé la mort de celui qui l'avait purifié d'un premier meurtre. Crésus, malgré l'excès de ses malheurs domestiques, touché des cris d'Adraste, en prit pitié, et lui dit: «Ô malheureux hôte, tu satisfais à toute la vengeance que je pouvais tirer de toi, en te condamnant toi-même: va, tu n'es pas la cause de mon malheur, ton action fut involontaire. C'est ce dieu, celui sans doute qui naguère m'a prédit ce triste avenir, qui seul en est l'auteur.» Il ordonna ensuite de faire à son fils des funérailles dignes de sa naissance. Lorsqu'elles furent terminées, et que le tumulte eut cessé autour du monument, le petit-fils de Midas, le fils de Gordius, l'infortuné Adraste, meurtrier de son propre frère, meurtrier de son bienfaiteur, désespéré, et s'estimant le plus malheureux des hommes, se poignarda sur la tombe.

«Crésus porta pendant deux années le grand deuil.

«Après ce temps, la chute de l'empire d'Astyage, fils de Cyaxare, renversé par Cyrus, fils de Cambyse, et les progrès des Perses, en occupant la pensée de Crésus d'autres soins, firent taire sa douleur. Il sentait la nécessité d'arrêter les Perses avant qu'ils eussent atteint toute leur grandeur, et voulait, s'il était possible, détruire une puissance qui s'accroissait chaque jour. Ce projet formé, il résolut avant tout d'éprouver les oracles de la Grèce et de la Libye, en envoyant des députés aux plus célèbres, tels que ceux de Delphes, d'Abas en Phocide, de Dodone, d'Amphiaraüs, de Trophonius et des Branchides, dans le pays des Milésiens; tous oracles renommés chez les Grecs et que Crésus désirait consulter. Enfin il s'adressa aussi à l'oracle d'Ammon, en Libye. Il voulait seulement, par cette première consultation, s'assurer de la science des oracles; et, dans le cas où il lui serait prouvé qu'ils connussent réellement la vérité, il se proposait d'y recourir une seconde fois pour savoir s'il devait entreprendre la guerre contre les Perses.»

V

La guerre tourna contre Crésus. Les Perses entrèrent dans Sardes; un soldat perse s'élança pour tuer le roi. Son fils, jusque-là muet, recouvra la parole pour sauver son père: «Soldat, ne tue pas Crésus!» dit-il au Perse. Crésus fut fait prisonnier, et Cyrus, qui régnait alors en Perse, le fit attacher au bûcher pour y périr du supplice des rois. Une pluie miraculeuse éteignit l'incendie. Cyrus le fit détacher, et reçut ses conseils comme ceux d'un sage protégé par les dieux.

VI

Ici, Hérodote passe à l'histoire des Mèdes et des Perses. Les Scythes, pères des Russes, vinrent pour attaquer l'Égypte.

«Astyage régnait en Perse.

«Astyage, fils de Cyaxare, hérita de l'empire. Ce roi eut une fille à laquelle il avait donné le nom de Mandane. Une nuit, il crut la voir en songe répandre une si grande quantité d'eau, que non-seulement elle inondait la ville où il faisait son séjour, mais qu'il lui sembla même que toute l'Asie en était couverte. Frappé de cette vision, il en demanda l'explication à ceux des mages qui sont versés dans la science d'interpréter les songes, et la réponse qu'il en reçut lui causa beaucoup d'effroi. Cependant, Mandane étant devenue nubile, Astyage, retenu par ce songe, ne voulut la donner en mariage à aucun des Mèdes dont la maison pouvait s'allier à la sienne, mais il fit choix pour elle d'un Perse nommé Cambyse, homme d'un caractère paisible et d'une bonne famille, mais qu'il regardait néanmoins comme au-dessous même d'un Mède né dans la classe moyenne.

«Cambyse et Mandane étant unis, Astyage eut, dans la première année de leur mariage, un autre rêve: il lui parut voir naître de sa fille une vigne dont les rameaux s'étendaient sur toute l'Asie. Il consulta de nouveau les interprètes des songes. Sur leur avis, il fit venir de la Perse auprès de lui sa fille, qui se trouvait alors enceinte, et la retint sous une garde étroite, décidé à faire périr l'enfant dont elle accoucherait, les mages lui ayant prédit que le fils de sa fille devait un jour régner à sa place. Lors donc que Mandane fut accouchée, Astyage fit appeler Harpagus, un de ses familiers les plus intimes, homme d'une fidélité à toute épreuve, et lui dit: «Harpagus, je vais te confier une commission importante. N'hésite pas à la remplir, et ne cherche pas à éluder mes ordres. Garde-toi surtout, en voulant complaire à d'autres, d'attirer par la suite de grands malheurs sur ta tête. Va prendre l'enfant de Mandane, porte-le chez toi; et, après l'avoir mis à mort, fais-le enterrer.— Seigneur, répondit Harpagus, jusqu'ici vous ne m'avez jamais vu songer à vous déplaire, et je ne me rendrai pas plus coupable à l'avenir. Puisque vous l'avez décidé, et qu'il vous plaît que les choses soient ainsi, c'est à moi d'obéir.»

«Après cette réponse, Harpagus alla prendre l'enfant condamné à périr, qu'on lui remit paré de langes magnifiques, et l'emporta en pleurant. Arrivé chez lui, il confia les ordres qu'il avait reçus d'Astyage à sa femme, qui lui demanda quel était son dessein? «De ne point faire, dit Harpagus, ce que le roi m'a commandé. Non, dût-il se montrer encore plus rigoureux et plus insensé qu'il ne l'est actuellement, je ne me soumettrai point à son ordre. Je ne serai pas l'agent direct d'un tel meurtre. Que de motifs n'ai-je pas, d'ailleurs, pour refuser d'être l'assassin de cet enfant! Il tient à ma famille par les liens du sang; Astyage est déjà vieux, et n'a point d'enfant mâle. Si, après sa mort, l'empire doit passer dans les mains de sa fille, dont j'aurai fait mourir le fils, à quels dangers ne suis-je pas exposé? Cependant, ma propre sûreté veut que cet enfant périsse; mais il faut que ce soit un des domestiques d'Astyage qui lui donne la mort, et qu'il ne la reçoive ni de moi ni d'aucun des miens.»

«En finissant ces mots, il envoya chercher un des principaux pâtres d'Astyage, qu'il savait habiter au milieu des meilleurs pâturages, dans le sein des montagnes les plus fréquentées par les bêtes sauvages. Ce pâtre s'appelait Mitradate. Il avait épousé une femme, esclave comme lui, dont le nom peut se rendre en grec par le mot Cyno, mais qui, en langage mède, était Spaca (Spaca, en mède, signifie une chienne). Les bois montueux où se trouvent les pâturages qui nourrissaient les nombreux troupeaux de bœufs du pâtre sont situés au nord d'Ecbatane, en allant vers le Pont-Euxin; et cette contrée de la Médie qui touche aux Saspires, très-élevée, abonde en épaisses forêts; tout le reste est un pays de plaine. Lorsque Mitradate, empressé de se rendre aux ordres qu'il avait reçus, fut arrivé, Harpagus lui parla en ces termes: «Astyage t'ordonne de prendre cet enfant et de l'exposer dans le lieu le plus désert de tes montagnes, où il trouvera une mort prompte. Je suis, de plus, chargé de te dire que, si tu balances à le faire périr, ou si tu le laisses vivre, de quelque manière que ce soit, tu dois t'attendre toi-même à la mort la plus affreuse. J'aurai soin, au surplus, de m'assurer si tu as obéi.»

«Le pâtre, ayant entendu, prit l'enfant et retourna avec lui dans sa rustique demeure. Le hasard voulut que sa femme, qu'il avait laissée dans les derniers jours d'une grossesse, en atteignît le terme pendant le temps de son voyage. Ainsi, tous les deux réciproquement étaient inquiets l'un de l'autre: le mari, craignant que la femme n'accouchât en son absence; celle-ci, troublée par le message d'Harpagus, qui pour eux était un événement tout nouveau. Lorsque Mitradate fut de retour, sa femme, qui avait presque perdu l'espoir de le revoir, s'empressa de lui demander par quel motif Harpagus l'avait envoyé chercher en si grande hâte. «Ô ma femme, répondit le pâtre, j'ai vu et entendu dans Ecbatane des choses qu'il eût été mieux pour moi de ne pas voir et de ne pas entendre. Ah! je croyais nos maîtres à l'abri de tels malheurs. J'ai trouvé la maison d'Harpagus en larmes et dans les gémissements; frappé de ce spectacle, j'entre; je vois un enfant couché, se débattant et jetant des cris douloureux. Il était richement paré d'or et de vêtements précieux. Lorsque Harpagus m'aperçut, il me commanda de prendre cet enfant, de l'emporter avec moi et de l'exposer dans le lieu le plus sauvage de nos montagnes. Il me dit qu'Astyage l'ordonnait ainsi, et me menaça des plus cruels supplices si je ne faisais pas ce qu'il me prescrivait. Je l'ai reçu, persuadé qu'il était né de quelque domestique de la maison, et ne pouvant m'imaginer d'abord ce qu'il pouvait être. J'admirais cependant la magnificence de ses vêtements, et j'étais également surpris du deuil que je voyais chez Harpagus. Mais bientôt j'ai appris tout d'un homme de la maison, qui m'a accompagné jusqu'au dehors de la ville, et a remis l'enfant dans mes mains. J'ai su, de cette manière, qu'il était le fils de Mandane, fille d'Astyage, et de Cambyse, fils de Cyrus, et qu'Astyage avait ordonné qu'on le fît périr. Le voilà!»

«Le pâtre cessa de parler, et découvrit l'enfant qu'il portait. La femme, considérant sa taille, touchée des grâces de sa figure, se prit à pleurer et, embrassant les genoux de son mari, le conjura, par tout ce qu'elle put imaginer propre à l'émouvoir, de ne point obéir. Mitradate lui répondit: «qu'il lui était impossible de ne pas exécuter ce qui lui avait été ordonné; que les espions d'Harpagus ne manqueraient pas de venir observer ce qui se passerait, et qu'il serait perdu sur-le-champ s'il désobéissait.» La femme, voyant qu'elle ne pouvait persuader son mari, eut recours à un autre moyen, et lui dit: «Puisque je ne saurais te déterminer à conserver cet enfant, et qu'il faut pour ta sûreté que tu puisses en montrer un étendu à terre, fais ce que je vais t'indiquer. Je viens aussi d'accoucher, et mon enfant est mort; prends-le, va l'exposer, et à sa place nous élèverons le fils de la fille d'Astyage, comme s'il était le nôtre. De cette manière, tu ne risques pas ta vie en désobéissant à tes maîtres et nous n'aurons pas à nous reprocher une mauvaise action. L'enfant mort aura la sépulture destinée aux fils des rois, et l'enfant qui existe ne perdra pas le jour.»

«Le pâtre se rendit à l'avis de sa femme, et fit sur-le-champ ce qu'elle conseillait. Il lui remit donc l'enfant qu'il avait apporté. Il plaça ensuite son propre fils mort dans le berceau, et après l'avoir revêtu des riches vêtements qui avaient servi à l'autre enfant, alla l'exposer dans le lieu le plus désert de la montagne. Trois jours écoulés, le pâtre, ayant laissé un des bergers qu'il avait sous ses ordres à la garde du cadavre, se rendit à la ville et avertit Harpagus qu'il était prêt, quand on le voudrait, à montrer le corps de l'enfant qu'il avait été chargé d'exposer. Harpagus envoya sur les lieux quelques-uns de ses gardes les plus affidés: à leur retour, ils lui présentèrent effectivement un cadavre, qui n'était que celui du fils du pâtre, et auquel il fit donner la sépulture. Cependant la femme de Mitradate nourrit et éleva près d'elle l'autre enfant, qui fut par la suite connu sous le nom de Cyrus: elle lui en avait donné un différent.

«L'enfant ayant atteint l'âge de dix ans, une aventure que je vais rapporter le fit reconnaître. Souvent, près du village où se rassemblaient les troupeaux de bœufs dont nous avons parlé, il jouait au milieu de la route avec plusieurs enfants du même âge que lui. Dans leurs jeux, ces enfants, quoiqu'ils ne le crussent que le fils du pâtre, l'avaient choisi pour roi; et lui, usant de ses droits, donnait aux uns la charge de bâtir un palais, faisait les autres ses gardes du corps, nommait celui-ci œil du roi, chargeait celui-là de la fonction de recevoir les messages, distribuant ainsi les emplois de sa cour à chacun. Parmi les compagnons de ses jeux, il en était un, fils d'Artembarès, homme considéré parmi les Mèdes. Un jour, cet enfant s'étant refusé à exécuter les ordres qui lui avaient été donnés, Cyrus commanda aux autres de s'emparer de lui. Ils obéirent, et le jeune rebelle fut fouetté sévèrement. Irrité de ce traitement, le fils d'Artembarès, dès qu'il put s'échapper, se rendit à Ecbatane, et vint se plaindre amèrement à son père de ce qu'avait osé Cyrus, ne le nommant pas cependant par ce nom, car il ne le portait pas, mais le désignant comme le fils d'un des pâtres d'Astyage. Artembarès, transporté de colère à ce récit, se rendit sur-le-champ près d'Astyage, et, menant avec lui son fils, se plaignit au roi de l'affront qu'il avait reçu. «Ô roi, s'écria-t-il en découvrant les épaules de son fils, c'est par un de vos esclaves, c'est par le fis d'un pâtre que nous avons été ainsi outragés!»

«Astyage, après avoir entendu ces plaintes et vu la trace des coups, voulut, par égard pour Artembarès qu'il honorait, venger l'injure faite à cet enfant, et ordonna que l'on fît venir le pâtre avec son fils. Lorsqu'ils furent en sa présence, Astyage, regardant Cyrus, lui dit: «C'est donc toi, toi, fils de cet homme, qui as osé traiter avec tant d'indignité le fils d'un des premiers de ma cour?—Seigneur, répondit Cyrus, je n'ai rien fait que je n'eusse le droit de faire. Les enfants du village, du nombre desquels est celui-ci, m'ont, dans leurs jeux, choisi pour roi: probablement, ils m'ont jugé le plus digne de l'être. Tous obéissaient à mes ordres: seul, il n'a pas voulu les reconnaître et n'en a fait aucun cas. Il en a porté la peine. Si cependant, pour cela, je mérite quelque punition, me voilà prêt.»

«Tandis qu'il parlait, un pressentiment se glissait dans l'esprit d'Astyage. Il semblait au roi que les traits du visage de cet enfant se rapprochaient des siens. La réponse qu'il venait de faire, si ferme et si libre, son âge parfaitement d'accord avec le temps où le fils de Mandane avait dû périr, tant de rapports frappaient Astyage. Il resta quelque temps sans parler. Enfin, ayant rappelé avec peine ses esprits, il dit à Artembarès, qu'il voulait éloigner pour avoir la liberté d'interroger le pâtre: «Allez, j'aurai soin que vous et votre fils soyez satisfaits.» Artembarès sortit; et les domestiques d'Astyage ayant, par son ordre, conduit Cyrus dans l'intérieur du palais, le roi, resté seul avec le pâtre, lui demanda «où il avait pris cet enfant? qui le lui avait donné?» Le pâtre répondit: «qu'il était son fils, et que sa femme, qui l'avait mis au monde, était encore avec lui.» Astyage lui répliqua qu'il entendait mal ses intérêts en dissimulant, puisqu'il serait bientôt forcé par les tourments d'avouer ce qu'il voulait cacher. En disant ces mots, le roi appela ses gardes et leur ordonna de s'emparer du pâtre. Mais à peine fut-il présenté à la question, qu'il se décida à dire les choses telles qu'elles étaient, et fit un récit véridique de tout ce qui s'était passé: en le terminant, il supplia le roi de lui accorder son pardon.

«Astyage, instruit de la vérité par la déclaration du pâtre, ne le jugea pas digne de sa colère, et, la tournant tout entière contre Harpagus, ordonna à ses gardes de le faire venir sur-le-champ. Dès qu'il parut, Astyage lui adressa cette question: «Harpagus, de quelle manière avez-vous fait périr l'enfant qui vous a été livré par mon ordre?» Harpagus, tandis que le roi parlait, ayant aperçu le pâtre, ne chercha point à recourir à un mensonge qui l'aurait perdu dès qu'il en aurait été convaincu, et répondit en ces termes: «Ô roi, lorsque cet enfant m'a été remis, je me suis consulté sur la manière dont j'exécuterais vos ordres, et j'ai cherché comment, en ne me rendant pas coupable de désobéissance envers vous, j'éviterais cependant de verser de ma main le sang de votre fille et le vôtre même. Voici donc le parti que j'ai pris: j'ai fait venir ce pâtre, je lui ai donné l'enfant, et je lui ai dit que vous aviez résolu qu'il fût mis à mort. En lui parlant ainsi, je n'ai point dit un mensonge. N'aviez-vous pas réellement ordonné cette mort? Quand il eut reçu l'enfant, je lui prescrivis de l'exposer dans le lieu le plus désert des montagnes, de l'observer et de bien s'assurer qu'il avait cessé de vivre. Je le menaçai en même temps des plus grands supplices s'il n'exécutait pas fidèlement ces ordres. Dès que je fus informé qu'il avait obéi, et que l'enfant n'était plus, j'ai envoyé sur les lieux les plus affidés de mes eunuques; ils m'ont rapporté le corps, que j'ai vu, et j'ai pris soin moi-même de lui faire donner la sépulture. C'est ainsi que tout s'est passé, ô roi, et par quel genre de mort l'enfant a péri.»

«Harpagus avait dit la vérité. Astyage, dissimulant le vif ressentiment que lui inspirait ce qui s'était passé, raconta de son côté à Harpagus ce qu'il avait appris du pâtre, et, après avoir tout répété, termina en disant: «que l'enfant vivait encore, et qu'il s'en réjouissait; car, ajouta-t-il, je souffrais beaucoup de ce que j'avais fait, et je n'étais pas moins affligé de la peine que j'avais causée à ma fille. Mais, puisque le hasard a tout réparé, envoyez votre fils près de l'enfant qui vient de nous être rendu, et revenez à mon souper pour prendre part au sacrifice d'actions de grâces que je veux offrir aux dieux sauveurs.»

«Harpagus, ayant entendu ces paroles, se prosterna pour adorer le roi; et, se félicitant que sa faute non-seulement n'eût pas de suites fâcheuses, mais que, par une faveur de la fortune, elle lui procurât encore l'honneur d'être appelé au souper du roi, il retourna chez lui le plus vite qu'il put. Harpagus n'avait qu'un seul fils, âgé à peine de treize ans. Il s'empressa en arrivant de lui dire de se rendre près d'Astyage, et d'exécuter tout ce qu'il ordonnerait. Il raconta ensuite à sa femme ce qui était arrivé, et lui fit partager sa joie. Cependant, dès que le fils d'Harpagus fut arrivé au palais, Astyage le fait égorger, ordonne que l'on coupe son corps en morceaux, et qu'après les avoir mis rôtir ou bouillir, on les apprête pour sa table. Quand, à l'heure du souper, les invités, au nombre desquels était Harpagus, furent placés, le roi se fit donner, ainsi qu'au reste des convives, du mouton; mais on ne servit à Harpagus que les membres de son fils, à l'exception de la tête et des extrémités des pieds et des mains, qu'on avait mis à part dans une corbeille. Lorsque Harpagus eut cessé de manger, Astyage lui demanda s'il avait trouvé bon le repas qu'il venait de faire: Harpagus lui ayant répondu qu'il était excellent, le roi lui fit présenter la corbeille qui contenait la tête, les mains et les pieds du jeune homme, couverte d'un voile, et lui dit qu'il pouvait lever ce voile et prendre ce qu'il voudrait de ce qu'il trouverait dessous. Harpagus obéit, découvre la corbeille et voit les restes de son fils; mais, à cette vue, il ne témoigne aucune surprise et reste parfaitement maître de lui-même. Astyage, insistant, le presse de dire s'il connaît le gibier dont il venait de manger. Harpagus répond froidement qu'il le connaît, mais qu'il devait trouver bien tout ce qu'il plaisait au roi de faire. Après cette réponse, il recueillit ces tristes débris, les emporta dans sa maison et les réunit dans la tombe.

«Telle fut la vengeance qu'Astyage tira d'Harpagus. Voulant ensuite délibérer sur ce qu'il devait faire de Cyrus, il appela près de lui les mêmes mages qu'il avait autrefois consultés, et leur demanda quel était le vrai sens de l'interprétation qu'ils avaient donnée à son rêve. Les mages répondirent qu'ils l'avaient entendu en ce sens: «qu'il était dans la destinée que l'enfant devait régner un jour, si sa vie était épargnée, et s'il ne périssait pas en naissant.—Eh bien, dit Astyage, il vit! Nourri aux champs, les enfants de son village l'ont nommé roi, et il a fait tout ce que les rois qui règnent réellement ont coutume de faire. Il s'est donné des gardes, des huissiers, des messagers; enfin il a réglé autour de lui tout ce qui tient à la royauté. Que pensez-vous actuellement de ces diverses circonstances?—Puisque l'enfant a survécu, répondirent les mages; puisque, par un pur hasard, il a fait les fonctions de roi, vous pouvez actuellement vous rassurer, et votre esprit ne doit plus concevoir d'inquiétude. Certainement, ce même enfant ne régnera pas une seconde fois. Souvent, nos prédictions s'accomplissent ainsi par les moindres événements, et les présages contenus dans les songes se résolvent par les plus petites choses.—Et moi aussi, je pense comme vous, répliqua Astyage. Je crois que l'enfant ayant porté le nom de roi, mon rêve, en ce qui le concerne, est accompli et qu'il n'est plus à craindre. Cependant, donnez-moi encore votre opinion sur un autre sujet, et, après y avoir mûrement réfléchi, dites quelles mesures il faut prendre pour garantir dans l'avenir la stabilité de ma maison, et en même temps votre propre sûreté?» À cette nouvelle question, les mages répondirent: «Ô roi, il est tout à fait dans notre intérêt que votre empire s'affermisse; s'il tombe dans une nation étrangère en passant à cet enfant, Perse d'origine, nous, qui sommes Mèdes, descendus au rang de sujets, nous ne sommes plus rien en comparaison des Perses, nous devenons nous-mêmes étrangers. Tant que vous régnerez, au contraire, notre roi est notre concitoyen, nous avons part à l'autorité souveraine, et c'est à nous que vos bienfaits et les honneurs sont destinés. Nous devons donc considérer, avant tout, ce qui touche à la stabilité de votre empire ou à la durée de votre existence, et, si nous apercevons quelque danger, ne pas perdre un moment pour vous l'indiquer. Toutefois, nous avons la confiance que votre songe est maintenant sans objet, et nous vous engageons à voir de même; mais nous pensons aussi qu'il faut bannir cet enfant de vos yeux, et l'envoyer chez les Perses, auprès de ceux qui lui ont donné le jour.»

«Astyage se rendit aisément à cet avis, qui lui était d'ailleurs agréable. Il fit donc venir Cyrus et lui dit: «Enfant, sur la foi d'un vain songe, j'en ai mal usé avec toi; ta bonne fortune t'a sauvé: sois joyeux. Tu vas te rendre actuellement en Perse; une suite convenable t'accompagnera dans la route. Là, tu trouveras un père et une mère, qui ne sont ni le pâtre Mitradate ni sa femme.»

«Cyrus, ainsi congédié par Astyage, arriva chez Cambyse. Dès qu'il se fut fait connaître, ses parents le reçurent avec des caresses d'autant plus vives, qu'ils le croyaient mort au moment de sa naissance, et lui demandèrent avec empressement de quelle manière il avait échappé. Cyrus leur répondit: «qu'il n'en avait rien su avant son départ, que jusque-là il était resté dans une entière ignorance de ce qui le concernait, et qu'il avait appris seulement en route sa propre histoire; qu'il se croyait le fils d'un des pâtres d'Astyage, mais que les gens qui l'accompagnaient l'avaient instruit de tout.» Alors il raconta comment il avait été nourri par la femme du pâtre; et, en faisant un grand éloge d'elle, il répéta plusieurs fois dans son récit le nom de Cyno. Les parents de Cyrus, frappés du double sens de ce mot, en profitèrent; et, afin de laisser croire aux Perses qu'il y avait quelque chose de divin dans la conservation de leur fils, ils firent courir le bruit que Cyrus, abandonné et exposé, avait été nourri par une chienne. Cette fable s'est répandue et fut longtemps en crédit.

Cyrus, parvenu à la virilité, était le plus robuste de ceux de son âge, et le plus aimé. Vers ce temps, Harpagus, qui brûlait du désir de se venger de la cruauté d'Astyage, et qui ne pouvait rien tenter par lui-même, comme simple particulier, eut l'idée de s'adresser à Cyrus, et lui envoya des présents. Il le voyait déjà dans un âge convenable, et se flattait de le faire aisément entrer dans ses vues, en confondant leurs communes injures. Déjà même il avait médité l'exécution de ce dessein; et Astyage, devenu chaque jour plus odieux aux Mèdes par son excessive rigueur, le secondait.

«Harpagus, mettant donc à profit la disposition des esprits, entretenait des liaisons particulières avec les premiers du pays, et leur persuada de déposer Astyage pour appeler Cyrus à la tête des affaires. Lorsque cette résolution fut prise, et tout préparé, il s'agissait d'en instruire Cyrus, qui habitait la Perse. Harpagus, n'osant se lier aux messagers ordinaires (les chemins étaient rigoureusement surveillés), eut recours à la ruse. Il fendit le ventre d'un lièvre dont il eut soin de conserver la peau intacte, sans en arracher aucun poil, et renferma dans l'intérieur des tablettes où il avait écrit ce qu'il voulait faire savoir. Il le donna ensuite, après l'avoir recousu avec soin, à un de ses domestiques affidés, qu'il fit habiller en chasseur, portant des filets, et lui ordonna de se rendre en Perse. Le lièvre devait être remis à Cyrus, et le messager était chargé de lui dire de vive voix de découper de ses propres mains l'animal, et de n'avoir personne auprès de lui quand il l'ouvrirait.

«Tout s'exécuta comme Harpagus l'avait ordonné. Cyrus reçut le lièvre, et l'ayant ouvert lui-même, trouva et lut les tablettes qui portaient ces mots: «Fils de Cambyse, les dieux ne vous perdent pas de vue; s'il en était autrement, votre conservation n'eût pas été si miraculeuse. Mais il vous reste à vous venger d'Astyage, de votre assassin, puisque son dessein fut de vous faire mourir; et, si vous vivez, les dieux seuls vous ont sauvé. Vous avez, je n'en doute pas, appris depuis longtemps ce qui s'est passé à votre égard; vous savez aussi tout ce que j'ai souffert d'Astyage pour avoir refusé de vous donner la mort, pour vous avoir confié au pâtre qui vous a élevé. Maintenant, si vous m'en croyez, vous régnerez bientôt sur tout le pays où règne aujourd'hui Astyage. Il suffit, pour y réussir, d'exciter les Perses à la défection: déterminez-les à s'armer et à marcher contre les Mèdes; et alors, soit qu'Astyage me mette à la tête des troupes qu'il enverra à votre rencontre, soit qu'il en confie le commandement à qui que ce soit de distingué parmi les Mèdes, comptez sur un succès certain. Les grands du pays, déjà déclarés pour vous, se révolteront et ôteront l'empire à Astyage. Tout est disposé ici; faites donc ce que je vous dis, et faites-le promptement.

«Cyrus, instruit par ce message, examina de quelle manière il amènerait les Perses à se révolter; et, après avoir longtemps délibéré, il s'arrêta à un stratagème dont le succès lui parut certain: voici en quoi il consistait. Il supposa qu'il avait reçu des tablettes (il y avait écrit lui-même ce qui convenait à son projet), puis il convoqua les Perses, ouvrit ces tablettes en leur présence, et, les ayant lues publiquement, il fit croire à l'assemblée qu'Astyage l'avait nommé général des Perses. Il ordonna ensuite en cette qualité à chaque individu de se munir d'une faux, et de se tenir prêt à exécuter ce qu'il prescrirait. On compte, au surplus, parmi les Perses plusieurs tribus différentes. Celles que Cyrus réunit en assemblée, et qu'il voulait détacher des Mèdes, sont les plus considérées, et toutes les autres en dépendent: ce sont les Pasargades, les Marophiens et les Maspiens. Dans ce nombre, les Pasargades sont les plus nobles, et c'est parmi eux que se trouve la famille des Achéménides, dont les rois perses sont sortis. Des autres sont, en premier lieu, les Panthéialens, les Dérusiéens, les Germaniens, tous laboureurs; en second lieu, les Daans, les Mardes, les Dropiciens, et les Sagartiens, qui sont nomades.

«Lorsque tous les Perses, suivant l'ordre qu'ils avaient reçu, parurent, chacun muni d'une faux, comme il leur avait été prescrit, Cyrus leur enjoignit de nettoyer en un jour une certaine portion du territoire de la Perse, qui, dans l'espace de dix-huit ou vingt stades, était couvert entièrement d'épines. Quand ils eurent fini ce travail, il leur ordonna de se retrouver au même lieu le lendemain, après s'être baignés. Cependant, il rassembla les troupeaux de bœufs, de chèvres et de moutons appartenant à son père, et en fit tuer la quantité nécessaire pour nourrir cette troupe. Il y joignit, en vin et autres denrées tout ce dont elle pouvait avoir besoin. Le jour suivant, les Perses revinrent, et Cyrus, les ayant fait asseoir dans les prairies voisines, les traita avec magnificence. Le repas terminé, il leur demanda lequel des deux jours leur paraissait préférable. Tous lui répondirent qu'il y avait une grande différence, que le premier avait été un jour de fatigues et de peines, et que le second n'avait offert que des plaisirs et des jouissances. Cyrus, reprenant alors la parole, leur découvrit sa pensée et leur dit: «Citoyens de la Perse, il en sera de même à jamais pour vous, si vous voulez me suivre. Vous vous assurez alors les biens dont vous jouissez aujourd'hui, avec une infinité d'autres, et vous n'aurez plus à supporter les travaux de l'esclavage. Si vous me refusez, les peines que vous avez endurées hier, et d'autres sans nombre, seront votre partage: laissez-vous donc persuader par moi, et devenez libres. Je sens que les dieux m'ont fait naître pour mettre en vos mains tant de biens; et vous les obtiendrez, car je sais que vous n'êtes inférieurs aux Mèdes ni dans la guerre, ni dans aucun genre. Si donc vous êtes ce que je crois, cessez sur-le-champ d'obéir à Astyage.»

«Les Perses, fatigués depuis longtemps de la domination des Mèdes, charmés d'avoir un chef, se livrèrent à sa conduite, et se déclarèrent libres. Dès qu'Astyage fut instruit des menées de Cyrus, il lui adressa l'ordre de revenir; mais Cyrus renvoya le courrier avec ces mots: «Dites à Astyage qu'il me verra plutôt qu'il ne voudra.» Sur cette réponse, Astyage fit armer les Mèdes, et choisit pour général (c'était un dieu sans doute qui l'égarait) Harpagus même, oubliant les justes sujets de ressentiment qu'il lui avait donnés. Lorsque les Mèdes en vinrent aux mains avec les Perses, ceux qui n'étaient pas dans la confidence combattirent de bonne foi; mais les autres, instruits du dessein du chef, étant passés du côté des Perses, bientôt la majeure partie de l'armée faiblit et prit la fuite.

«Les Mèdes furent ainsi honteusement défaits. À cette nouvelle, Astyage, après s'être écrié d'un ton menaçant: «Cyrus n'aura pas toujours lieu de se réjouir!» commença par faire mettre en croix les mages interprètes des songes, qui lui avaient conseillé de renvoyer Cyrus. Il fait ensuite prendre les armes à tous les habitants d'Ecbatane, jeunes et vieux, restés dans la ville, les mène contre les Perses, livre une bataille, la perd, et tombe vivant au pouvoir de l'ennemi: son armée y fut entièrement détruite.

«Harpagus, au comble de la joie de voir Astyage dans les fers, le poursuivit d'injures, et, entre autres insultes, animé par le souvenir de l'horrible repas où il avait été contraint de manger les membres de son propre fils, il demanda à Astyage: «comment il trouvait l'esclavage, après la royauté?» Astyage, au lieu de répondre, fixant ses regards sur Harpagus, lui demanda à son tour: «s'il s'appropriait ce que Cyrus avait fait?» Harpagus répliqua qu'il pouvait justement le regarder comme son propre ouvrage, puisque c'était lui qui avait écrit à Cyrus pour le lui conseiller. «Eh bien, donc, lui dit Astyage, s'expliquant plus clairement, tu es le plus inepte et le plus injuste des hommes: le plus inepte, si, étant maître de te faire roi toi-même, ce qui devait être en ton pouvoir du moment où tu te vantes d'être l'auteur de tout ce qui vient de se passer, tu as cédé l'empire à un autre; et le plus injuste, si, pour te venger d'un souper, tu livres les Mèdes à l'esclavage! Car enfin, ajouta Astyage, puisque tu voulais donner la royauté à quelque autre et ne pas la garder pour toi, n'était-il pas juste, du moins, que la puissance tombât entre les mains d'un Mède, plutôt que dans celles d'un Perse? Tout ce que tu as fait aujourd'hui n'aboutit au contraire qu'à rendre les Mèdes, innocents envers toi, esclaves, eux qui étaient les maîtres, et à leur donner pour maîtres les Perses, qui n'étaient jusqu'ici que leurs esclaves.»

«Telle fut la fin du règne d'Astyage; il avait duré trente-cinq ans. Son extrême sévérité fit passer sous le joug des Perses les Mèdes, qui avaient dominé sur l'Asie, au delà du fleuve Halys, pendant cent vingt-huit ans, non compris le temps de l'invasion des Scythes. Par la suite, à la vérité, ils ont essayé de secouer le joug et se révoltèrent contre Darius; mais ils furent vaincus dans un combat, et soumis de nouveau. Du reste, les Perses, qui, sous la conduite de Cyrus, s'étaient soustraits à la puissance des Mèdes, furent, depuis la défaite d'Astyage, les maîtres de l'Asie. Quant à Astyage personnellement, Cyrus ne lui fit aucun mal, et le garda constamment près de lui jusqu'à sa mort. C'est ainsi que Cyrus devint roi, après avoir essuyé à sa naissance et dans son éducation les divers accidents que j'ai rapportés. J'ai dit plus haut comment ensuite il renversa la puissance de Crésus, qui l'avait injustement attaqué. Cette victoire mit toute l'Asie sous son empire.»

VII

Euterpe est le titre de son second livre.

Il y continue l'histoire des Perses, mœurs et politique.

Cambyse succède à Cyrus; il marche à la conquête de l'Égypte.

On lui raconte beaucoup de fables absurdes, à Memphis, sur l'origine et la langue la plus antique du genre humain.

«C'est ce qui m'a été rapporté, dit-il, par les prêtres de Vulcain, à Memphis.»

«Les Grecs racontent sur le même sujet beaucoup d'absurdités; entre autres, que Psamméticus avait donné les enfants à nourrir à des femmes auxquelles il avait fait couper la langue. Du reste, je n'ai rien découvert de plus sur ce qui les concerne; mais, dans les divers entretiens que j'ai eus à

Memphis avec ces mêmes prêtres de Vulcain, j'ai appris beaucoup d'autres particularités. Ensuite, je suis allé jusqu'à Thèbes et à Héliopolis pour vérifier si les rapports que je recueillerais dans ces deux villes s'accorderaient avec ceux qui m'avaient été faits à Memphis. Les habitants d'Héliopolis passent pour les plus instruits de tous les Égyptiens dans l'histoire de leur pays; mon intention n'est pas cependant de publier tout ce que j'ai appris sur la religion des Égyptiens, mais seulement de donner les noms de leurs divinités, parce que je pense qu'ils sont connus généralement de tous. Au surplus, je ne parlerai de ces divinités et de la religion que lorsque l'ordre de la narration m'y obligera nécessairement.»

VIII

La description géographique de l'Égypte est plausible et admissible. Il suppose que ce pays, d'abord semblable au golfe de la mer Rouge, a pu être comblé pendant vingt mille ans par les terres amenées par le courant du Nil. Il discute les opinions sur les sources du fleuve comme nous le faisons encore aujourd'hui. Il les attribue aux pluies attirées et retenues pendant l'été sur le soleil de la Libye, puis ramenées au printemps tout à coup sur le ciel d'Égypte.

«Comme les Égyptiens, dit-il, sont extrêmement religieux et plus que le reste des hommes, ils ont des rites particuliers que je veux rapporter. Ils ne boivent que dans des vases de cuivre qu'ils frottent et nettoient tous les jours avec un soin extrême, et cet usage n'est pas observé par les uns et négligé par les autres, mais il est commun à tous indistinctement. Ils portent des vêtements de toile de lin, toujours fraîchement lavés, et ont grand soin de ne les point tacher. Ils ont adopté la circoncision par recherche de propreté, et paraissent faire plus de cas d'une pureté de corps parfaite que de tout autre ornement. Leurs prêtres se rasent entièrement le corps tous les trois jours, dans la crainte que quelque insecte ou quelque souillure ne s'y attache pendant qu'ils exercent leur ministère. Ces prêtres ne font usage que de vêtements de lin et de souliers de papyrus, et ne peuvent porter ni d'autres habits ni d'autre chaussure. Ils se lavent deux fois le jour dans l'eau froide et deux fois la nuit. Enfin, ils sont assujettis à mille pratiques superstitieuses. Du reste, ils jouissent en retour de beaucoup d'avantages. Ils n'ont aucun soin domestique ni aucune dépense à faire; les mets consacrés leur servent de nourriture, et chaque jour on leur présente en abondance de la chair de bœuf et des oies. On leur fournit en outre du vin de raisin; mais il ne leur est pas permis de manger du poisson. Les Égyptiens ne sèment jamais de fèves dans leurs champs, et si quelques-unes y croissent naturellement, ils ne doivent les manger ni crues ni cuites; les prêtres ne peuvent même en supporter la vue, ils regardent ce légume comme impur. Les Égyptiens adorent le bœuf, choisi par leurs prêtres: c'est un instrument actif de labourage et un symbole de la fécondité du travail.

IX

Les Égyptiens se rattachent aux Grecs par Osiris. Hercule, Neptune, les Dioscores, suivant Hérodote, paraissent avoir la même origine grecque par la navigation. En revanche, selon lui, les Grecs ont donné à l'Égypte les oracles et Jupiter, le dieu des dieux olympiens. Les femmes éthiopiennes qui vinrent en Phénicie étaient noires. Elles balbutiaient comme des oiseaux, et de là leur vint le nom de colombes. Puis elles apprirent la langue de la Grèce, et fondèrent la langue ambiguë des oracles.

X

Hérodote raconte ainsi la légende du roi d'Égypte Rhampsinite.

«Ce roi posséda de telles richesses, qu'aucun de ses successeurs ne put jamais les surpasser, ni même en approcher: il fit élever, pour mettre ses trésors en sûreté, un bâtiment en pierre; mais l'ouvrier chargé de la construction de cet édifice voulut se ménager la faculté de se rendre maître d'une partie de l'argent qui y serait déposé. Il imagina donc de pratiquer dans un des côtés de la muraille extérieure une issue secrète, et y réussit en disposant une des pierres de cette muraille de manière qu'elle pouvait être facilement retirée en dehors par deux hommes, et même par un seul. Quand le bâtiment fut terminé, le roi y renferma ses immenses trésors. Quelque temps après, l'ouvrier qui l'avait construit, voyant approcher sa fin, fit appeler ses fils (il en avait deux), et leur dit qu'ayant voulu leur assurer les moyens de vivre dans l'opulence, il avait eu recours, en bâtissant le trésor du roi, à un artifice qu'il allait leur faire connaître. Il entra ensuite avec eux dans le détail de ce qu'il avait pratiqué pour donner la facilité de retirer une des pierres de la muraille. Il leur indiqua la grandeur et la situation de cette pierre, et leur fit sentir qu'en gardant le secret pour eux, ils pouvaient à leur gré disposer des richesses du roi. Il mourut après cette confidence, et ses fils ne tardèrent pas à mettre la main à l'ouvrage. Ils se rendirent une nuit au palais, trouvèrent la pierre qui leur avait été indiquée dans le bâtiment du trésor, la déplacèrent sans peine, et emportèrent avec eux une grande quantité d'argent.

«Le roi, étant venu visiter son trésor, fut surpris de trouver les vases qui renfermaient ses richesses entamés, et une partie de l'argent dérobée, sans pouvoir en accuser qui que ce soit, puisque la chambre était parfaitement fermée et le sceau qu'il appliquait sur les portes bien entier. Il revint une seconde fois, puis une troisième, et remarquant toujours une diminution nouvelle dans le trésor (les voleurs ne cessaient d'y puiser), il fut obligé de recourir à la ruse, et fit fabriquer des piéges qu'il tendit dans le voisinage des vases. Les voleurs revinrent comme de coutume, et celui des deux qui entra le premier, s'étant approché d'un de ces vases, fut saisi subitement par le piége. Lorsqu'il s'aperçut de son malheur, il appela son frère, lui dit ce qui venait de lui arriver, et le conjura de lui couper sur-le-champ la tête pour empêcher qu'on ne le reconnût, et sauver au moins l'un des deux. Convaincu qu'il ne lui restait pas d'autre ressource celui-ci obéit, et, ayant remis la pierre, en place, se retira chez lui, emportant la tête de son frère.

«Lorsque le jour parut, le roi, revenu dans le trésor, fut frappé d'étonnement en voyant le corps d'un voleur pris au piége, mais n'ayant pas de tête, et de trouver cependant la chambre intacte, n'offrant aucune trace d'issue ni d'entrée. Pour dissiper le doute où cette vue le jeta, il imagina d'ordonner que le cadavre fût attaché à une muraille; et, plaçant des gardes alentour, il leur enjoignit de saisir et de lui amener tous ceux qu'ils verraient pleurer ou témoigner quelque pitié à ce spectacle. L'ordre fut exécuté et le corps suspendu à un mur. La mère des voleurs, instruite du traitement fait aux restes de son fils, et ne pouvant contenir sa douleur, déclara à celui qui avait survécu qu'il fallait que, d'une manière ou de l'autre, il trouvât le moyen de détacher le corps de son frère et de le lui apporter; que s'il s'y refusait, elle était déterminée à se rendre près du roi et à lui découvrir l'auteur du vol.

«Le jeune homme, maltraité par sa mère et n'ayant pu lui persuader de renoncer à ce qu'elle exigeait de lui, se détermina à tenter de la satisfaire. Il prit un certain nombre d'ânes, sur chacun desquels il plaça une outre remplie de vin, et les chassa devant lui, se dirigeant vers les soldats qui gardaient le corps suspendu à la muraille. Arrivé près d'eux, il détacha adroitement les liens qui fermaient l'orifice de deux ou trois outres; et, quand le vin commença à couler, il se frappa la tête comme un homme désespéré qui ne savait auquel de ses ânes il courrait d'abord pour arrêter le mal. Les soldats, voyant le vin se répandre dans la route, accoururent avec ce qu'ils trouvèrent sous leur main, pour le recueillir et en faire leur profit. Cependant le conducteur, en colère, les accablait de reproches et d'injures; mais les gardes cherchant de leur côté à le consoler, il feignit de s'apaiser; et ils l'aidèrent alors à faire ranger les ânes hors du chemin pour rétablir leur chargement. Enfin, après quelques plaisanteries, le conducteur des ânes, remis en bonne humeur, fit présent à la troupe d'une de ses outres de vin; les soldats s'assirent pour boire et engagèrent celui qui les traitait si bien à leur tenir compagnie; il eut l'air de se laisser persuader et resta. Lorsque la première outre fut épuisée, une autre succéda, et les gardes burent si abondamment que bientôt ils s'enivrèrent, et, accablés par la vapeur du vin, s'endormirent à la place même où ils avaient bu. Tandis qu'ils étaient plongés dans le sommeil, le jeune homme détacha, au milieu de la nuit, le corps de son frère, et après avoir, par dérision, rasé la joue droite de chacun des soldats, il mit le cadavre sur un de ses ânes et le porta chez lui, ayant ainsi exécuté les ordres de sa mère.

«Dès que le roi sut que le corps du voleur était enlevé, il montra le plus violent chagrin; cependant, comme il voulait absolument connaître l'auteur de tant de ruses, il eut recours à un moyen que je regarde comme une fable tout à fait incroyable, mais que je ne laisserai pas de rapporter. Il fit établir sa propre fille dans un lieu de prostitution, et lui ordonna de recevoir indifféremment tous les hommes qui se présenteraient, en exigeant néanmoins, avant de se livrer, que chacun lui racontât ce qu'il avait fait dans sa vie de plus adroit et de plus remarquable par l'audace ou la scélératesse; il lui enjoignit de plus que, dans le cas où un de ceux qui se présenteraient lui dirait quelque chose de ce qui s'était passé dans le vol du trésor, elle s'emparât de cet homme sur-le-champ et ne le laissât point échapper. La fille du roi obéit; mais le voleur, se doutant par quel motif Rhampsinite avait pris cet étrange parti, voulut l'emporter sur le roi en fécondité d'inventions. Après avoir coupé, à la naissance de l'épaule le bras d'un cadavre encore récent, il le cacha sous son manteau et alla trouver la fille du roi. Interrogé par elle comme les autres, il lui dit: «que ce qu'il avait fait de plus hardi et de plus criminel était d'avoir coupé la tête de son frère, pris à un piége tendu dans le trésor du roi; et que ce qu'il avait fait de plus adroit était d'être parvenu à enlever le corps de ce frère, après avoir enivré les soldats chargés de le garder.» Lorsque la fille du roi entendit cet aveu, elle se jeta sur le jeune homme et crut l'avoir arrêté, mais comme elle n'avait saisi que le bras mort dont il s'était muni, il s'évada par la porte et parvint à s'enfuir.

«Au récit de cette nouvelle ruse, le roi, frappé d'admiration pour les ressources de l'esprit et l'audace d'un tel homme, fit publier dans toutes les villes de ses États qu'il lui accordait l'impunité, et qu'il lui destinait même de grandes récompenses s'il voulait se montrer. On dit que le voleur, se fiant à cette promesse, se présenta, que Rhampsinite lui fit un grand accueil, et lui donna sa fille comme au plus industrieux de tous les hommes, puisque les Égyptiens étant regardés comme supérieurs à tous les autres peuples, il s'était montré supérieur à tous les Égyptiens.»

XI

Cambyse, infatué de sa fortune, devint furieux. Il poignarda le bœuf Apis. Il tua d'un coup de pied sa sœur, qu'il avait épousée. Tout annonçait en lui l'aliénation d'esprit. Les Perses se révoltèrent. Darius lui succéda.

Il écouta les conseils d'Atossa, sa femme, qui désirait avoir à son service des matrones grecques; il envoya d'abord en Scythie quelques-uns de ses courtisans pour étudier la route de la Grèce, le long du Pont-Euxin. Hérodote visita sans doute la Russie, il en donne une exacte et minutieuse description, en commençant par l'Ister ou le Danube qui la borde et la sépare de la Grèce. Les mœurs barbares des Scythes font horreur et pitié. Darius, mieux conseillé, abandonna la Scythie à elle-même, et revint en Ionie, pour passer de là dans le Péloponèse en traversant l'Hellespont sur un pont semblable à celui qu'il avait laissé sur le Danube. Il laissa à son lieutenant favori Mégabaze un corps d'armée, composé de trois cent mille Persans d'élite, et de troupes ioniennes auxiliaires, pour conquérir la Grèce.

Hérodote revint en Perse; puis, avant de passer à la guerre de Mégabaze et de Darius contre le Péloponèse, il raconte, dans les détails les plus intéressants, la colonisation grecque des Cyrénéens en Égypte, origine des Carthaginois; le commerce des Carthaginois avec les peuples de la Libye, l'Oasis et le temple de Jupiter Ammon.

Mégabaze revient en Europe, attaque sur les bords de la mer Noire les Thraces, la nation, après les Indes, la plus nombreuse de l'Europe.

«J'ai déjà parlé des Gètes, qui ont pris le surnom d'immortels. Les Trauses ont, dans le plus grand nombre de leurs institutions, beaucoup de rapport avec celles des autres Thraces, mais ils en diffèrent par les pratiques qu'ils observent à la naissance ou à la mort des individus. Lorsqu'un enfant vient de naître, tous ses parents, rangés autour de lui, pleurent sur les maux qu'il aura à souffrir depuis le moment où il a vu le jour, et comptent en gémissant toutes les misères humaines qui l'attendent. À la mort d'un de leurs concitoyens, ils se livrent au contraire à la joie, le couvrent, en plaisantant, de terre, et le félicitent d'être enfin heureux, puisqu'il est délivré de tous les maux de la vie.

«Les Thraces, qui habitent le pays au-dessus de Crestone, ont aussi quelques usages particuliers. Un homme peut épouser plusieurs femmes, et quand il vient à mourir, il s'élève entre elles de grands démêlés, soutenus avec chaleur par leurs amis, pour décider laquelle a été le plus tendrement aimée du défunt. Celle qu'un jugement solennel a désignée, après avoir reçu les félicitations et les éloges, tant des femmes que des hommes, se rend sur le tombeau du mort où le plus proche de ses parents l'égorge; on l'enterre ensuite avec le corps de son mari. Les autres femmes regardent cette préférence comme un affront.»

XII

Darius, qui avait succédé au roi de Perse, vint lui-même fortifier son lieutenant.

Peu de temps après, Pigrès et Mantyès, deux Péoniens qui méditaient de se faire proclamer tyrans de leur patrie, et qui avaient suivi Darius pour obtenir son appui, avaient amené, à Sardes, leur sœur, femme d'une grande taille et d'une remarquable beauté.

«Un jour, après avoir épié le moment où Darius venait s'asseoir dans le faubourg des Lydiens, ils imaginèrent de la parer des plus beaux habillements qu'ils purent se procurer et de l'envoyer chercher de l'eau, portant sur sa tête une cruche, en même temps qu'elle conduisait un cheval dont la bride était passée dans son bras, et qu'elle filait une quenouille de lin. Quand cette belle femme parut, elle excita vivement l'attention de Darius, l'attirail dans lequel elle se montrait n'étant dans les mœurs ni des femmes perses, ni de celles de Lydie, ni enfin d'aucun peuple de l'Asie. Darius, pressé de satisfaire sa curiosité, ordonna à quelques-uns de ses gardes d'aller observer ce que cette femme ferait du cheval qu'elle conduisait. Les gardes la suivirent, et, lorsqu'elle fut arrivée près du fleuve, ils virent qu'elle commença par faire boire son cheval, qu'après l'avoir abreuvé, elle remplit d'eau sa cruche, et qu'elle reprit le même chemin, portant l'eau sur sa tête, tirant après elle le cheval, dont elle repassa la bride dans son bras, et tournant son fuseau.

«Darius, frappé du rapport de ses gardes, et de ce qui se passait sous ses yeux, ordonna qu'on amenât cette femme en sa présence. Lorsqu'elle y fut conduite, ses frères, qui avaient tout observé de loin, parurent avec elle, et Darius ayant demandé de quel pays elle était, les jeunes gens, prenant la parole, répondirent qu'ils étaient Péoniens, et qu'elle était leur sœur. «Et qui sont, reprit le roi, les Péoniens? quelle partie du monde habitent-ils, et par quelle raison vous-mêmes êtes-vous venus à Sardes?» Les jeunes gens satisfirent à ces questions. «Nous sommes venus, dirent-ils, pour nous donner au roi; la Péonie est un pays situé sur les bords du Strymon, et qui renferme plusieurs villes; le Strymon est un fleuve peu éloigné de l'Hellespont; enfin les Péoniens, ajoutèrent-ils, se regardent comme les descendants des Teucriens et une colonie de Troie.» Après avoir écouté ces détails, Darius leur demanda encore: «si, dans leur pays, les femmes étaient toutes aussi laborieuses que celle-ci?» Les jeunes gens s'empressèrent de répondre affirmativement, car c'était pour arriver à cette réponse qu'ils avaient tout combiné.

«Sur-le-champ, Darius donna l'ordre à Mégabaze, qu'il avait laissé général de l'armée perse en Thrace, de faire sortir de leur pays tous les Péoniens, et de les lui envoyer avec leurs femmes et leurs enfants. Un courrier à cheval fut dépêché immédiatement pour porter cet ordre. Le courrier arriva sur l'Hellespont, le passa, et remit les lettres de Darius à Mégabaze, qui, après les avoir lues, prit des guides en Thrace et marcha contre les Péoniens.

«Les Péoniens, instruits que les Perses s'avançaient, réunirent leurs forces; ils se dirigèrent sur la mer, persuadés qu'ils devaient être attaqués de ce côté, et, véritablement, ils étaient alors en mesure de repousser Mégabaze; mais les Perses, informés à leur tour que les Péoniens s'étaient rassemblés et qu'ils défendaient l'entrée du pays vers la mer, prirent, avec le secours de leurs guides, et à l'insu des Péoniens, la route par les montagnes, pour tomber à l'improviste sur les villes: ils les trouvèrent sans défenseurs, et s'en emparèrent facilement. Dès que l'armée péonienne apprit que les villes étaient au pouvoir de l'ennemi, elle se dispersa; chacun se retira chez soi, et tout le pays finit par se soumettre aux Perses. Ainsi les Péoniens, connus sous le nom de Siropéoniens et de Péoples, et ceux qui habitent le pays qui s'étend jusqu'au lac de Prasias, furent arrachés à leurs demeures et conduits en Asie.

«Quant aux Péoniens habitant les environs du mont Pangée, les Débores, les Agrianes, les Odomantes, et ceux du lac Prasias, ils ne furent point soumis par Mégabaze, et ce fut même inutilement qu'il tenta de réduire les derniers, qui se trouvaient protégés contre ses attaques par la nature de leurs demeures. Je vais les faire connaître. Les Péoniens du lac de Prasias se sont construit, au milieu de ce lac, un sol artificiel composé de planchers en bois, soutenus par de longs pilotis; et cet emplacement ne communique à la terre que par une chaussée très-étroite et un seul pont. Anciennement, tous les habitants contribuèrent en commun à la fondation des pilotis qui soutiennent les planchers; mais ils ont pourvu depuis à leur entretien par une loi particulière, qui oblige tout homme, quand il épouse une femme, et il peut en épouser plusieurs, à fournir trois de ces pilotis, pris dans une montagne nommé l'Orbélus. Voici actuellement en quoi consistent leurs habitations. Chacun d'eux possède sur ce sol artificiel une cabane, dans laquelle il vit: à l'intérieur, une sorte de porte ou de trappe qui se replie sur elle-même donne accès dans le lac à travers les pilotis; et quand elle est ouverte, pour empêcher les enfants de tomber dans l'eau, ils ont soin de leur attacher un pied avec une corde. Ils nourrissent leurs chevaux et les autres bêtes de somme avec du poisson, qui abonde tellement, qu'il suffit pour le pêcher d'ouvrir la trappe sur le lac et de descendre dans l'eau une corbeille de jonc vide, que l'on retire un moment après entièrement pleine. Les poissons de ce lac sont de deux genres: un que l'on nomme le paprax et l'autre le tilon. Les Péoniens soumis furent, comme je l'ai dit, conduits en Asie.

«Mégabaze, après cette expédition, envoya en Macédoine une députation composée de sept Perses, et choisie parmi ce qu'il y avait de plus distingué dans l'armée. Ils étaient chargés de se rendre près d'Amyntas et de lui demander, au nom de Darius, l'eau et la terre. Du lac de Prasias en Macédoine, la route est courte, et c'est près de ce lac que se trouve une mine d'argent (Alexandre en retira dans la suite le poids d'un talent par jour). Après avoir dépassé cette mine, il ne reste plus qu'à franchir le mont Dysorus, et vous vous trouvez en Macédoine.

«La députation, conduite en présence d'Amyntas, lui demanda la terre et l'eau pour Darius: Amyntas les donna, et invita ensuite les députés à recevoir chez lui l'hospitalité. Un festin splendide fut préparé, et Amyntas y traita ses hôtes avec une grande cordialité. Lorsqu'on eut cessé de manger, et que l'on se fut mis à boire, un des Perses, s'adressant à Amyntas, lui dit: «L'usage est parmi nous, quand nous donnons un grand repas, d'y appeler et de faire asseoir, entre les convives, nos concubines et même nos femmes légitimes.

Vous, qui nous recevez avec tant d'amitié, qui nous traitez avec tant de magnificence, et qui, enfin, n'avez point refusé la terre et l'eau au roi Darius, pourquoi ne suivez-vous pas aujourd'hui les usages des Perses?—Nos coutumes, répondit Amyntas, sont bien différentes; elles veulent que les femmes restent toujours séparées des hommes; cependant, puisque vos lois permettent le contraire, et que vous êtes actuellement nos maîtres, il faut bien vous satisfaire.» En disant ces mots, Amyntas ordonna que l'on fît entrer les femmes, qui vinrent se ranger et se placer vis-à-vis des Perses. À la vue de ces femmes, les députés, frappés de leur beauté, reprenant la parole, dirent à Amyntas: «Ce n'est pas en user convenablement; il eût mieux valu ne pas faire venir vos femmes, que de les empêcher, après les avoir appelées, de s'asseoir à nos côtés, et les tenir en face de nous pour le tourment seul de nos yeux.» Amyntas, forcé à ce nouvel acte de complaisance, ordonna aux femmes de se mettre près de ses hôtes: elles obéirent; mais, à peine y étaient-elles, que les Perses, pour la plupart pris de vin, portèrent leurs mains sur le sein de ces femmes, et essayèrent même de leur prendre des baisers.

«Amyntas, témoin de ces insultes, quoique irrité dans l'âme, ne laissa rien percer de son ressentiment, par la crainte que lui inspirait la puissance des Perses; mais Alexandre, son fils, qui était présent et voyait ce qui se passait, jeune et sans expérience des maux qu'il pouvait attirer sur son pays, ne put se contenir; et, dans l'indignation qu'il éprouvait, dit à son père: «Laissez, mon père, laissez cette jeunesse avec laquelle il ne vous convient pas de vous commettre, et allez prendre quelque repos; donnez ordre seulement qu'on n'épargne pas le vin. Je resterai ici, et j'aurai soin de veiller à ce qu'il ne manque rien à nos hôtes.» Amyntas comprit, par ces mots, qu'Alexandre avait conçu quelque projet extraordinaire et lui répondit: «Vos discours sont d'un homme que la colère enflamme, et je vois très-bien que vous cherchez à m'écarter pour exécuter un dessein que vous méditez; mais, je vous en conjure, ne risquez rien contre de tels hommes, si vous ne voulez nous perdre: résignez-vous, et ne vous opposez pas à ce qu'ils voudront faire; cependant, je me rends à votre avis, et je vais m'éloigner.»

«Amyntas s'étant en effet retiré après cette prière, Alexandre dit aux Perses: «Ces femmes sont à vous, soit que vous souhaitiez les avoir toutes à votre disposition, soit que vous choisissiez seulement quelques-unes entre elles; veuillez seulement nous faire connaître vos intentions. Mais, comme l'heure de se retirer approche, et que je vois que vous avez assez bu, laissez-les, si vous l'avez pour agréable, aller au bain; elles viendront vous retrouver ensuite.»

Les Perses applaudirent à cette proposition; et Alexandre ordonna aux femmes de se retirer dans leur appartement. Il fit en même temps habiller comme elles un nombre égal de jeunes gens encore imberbes, après leur avoir fait cacher à chacun un poignard sous ses vêtements, et les introduisit lui-même dans la salle du festin, en adressant aux Perses ces paroles: «Vous le voyez, rien n'a été négligé pour vous recevoir avec la plus grande magnificence. Non-seulement tout ce que nous possédions, mais encore tout ce qu'il nous a été possible de nous procurer est à votre disposition; et, pour mettre le comble, voici que nous vous prodiguons nos mères et nos sœurs. Vous ne douterez donc pas que nous ne vous ayons traités comme vous êtes dignes de l'être, et vous pourrez rapporter au roi, qui vous envoie, qu'un Grec, actuellement simple gouverneur de la Macédoine, a su vous procurer tous les plaisirs que peuvent donner la table et le lit.»

Lorsque Alexandre eut cessé de parler, chacun des Macédoniens, qu'il était facile de prendre pour une femme, alla s'asseoir à côté d'un des députés, et au moment où les Perses voulurent porter les mains sur eux, les jeunes gens, tirant leurs poignards, les percèrent de coups.»

Ces Péoniens aux mœurs féroces devaient être les Albanais d'aujourd'hui: les noms changent, jamais les mœurs.

Les Spartiates ou Lacédémoniens paraissent en scène par la naissance de Léonidas. Voici comment Hérodote la raconte:

«Anaxandride, fils de Léon, n'était plus alors roi de Sparte; il venait de mourir. Cléomène, son fils, lui avait succédé, non pas par supériorité de mérite, mais par droit de naissance. Anaxandride avait épousé une fille de son frère, mais, quoiqu'il l'aimât tendrement, comme il n'en avait point eu d'enfant, les éphores l'avaient appelé et lui en avaient fait des reproches en ces termes: «Puisque vous n'y veillez pas vous-même, c'est à nous de veiller pour vous à ce que la race d'Eurysthène ne s'éteigne pas. La femme que vous avez ne vous donne pas d'enfants: épousez-en une autre, vous ferez ainsi une chose agréable aux Spartiates.» Anaxandride répondit aux éphores: «qu'il ne pouvait consentir à ce qu'ils exigeaient de lui; que ce n'était pas lui donner un avis raisonnable que de l'engager à renvoyer une femme qui n'était coupable envers lui d'aucun tort, pour en épouser une autre, et que jamais il ne suivrait un tel conseil.»

«Sur ce refus, les éphores et les anciens de la ville se réunirent, et, après en avoir délibéré, firent à Anaxandride une autre proposition. «Du moment, lui dirent-ils, que vous êtes si fortement attaché à votre femme, faites ce que nous allons vous proposer, et ne vous y refusez pas, si vous ne voulez contraindre les Lacédémoniens à prendre quelque résolution rigoureuse contre vous-même. Nous ne vous demandons plus de répudier votre femme: continuez à être pour elle ce que vous avez été jusqu'ici; mais prenez-en une seconde qui puisse vous donner des enfants.» Anaxandride y consentit, et eut ainsi deux femmes et deux foyers domestiques, contre les usages de Sparte.

«Peu de temps après, la nouvelle femme qu'il avait prise accoucha de ce Cléomène dont il est ici question. Tandis qu'elle donnait ainsi un successeur à la royauté de Sparte, il arriva, par une sorte de fatalité, que la première femme d'Anaxandride, qui jusque-là avait été stérile, devint grosse; mais, quoiqu'elle le fût bien réellement, les parents de la seconde épouse, affectant des doutes, prétendirent qu'elle se vantait à tort de sa fécondité, et qu'elle avait certainement le projet de supposer un enfant. Ces plaintes, devenues plus sérieuses chaque jour, excitèrent la défiance des éphores, qui, lorsque le terme de la grossesse approcha, surveillèrent soigneusement la femme, et se trouvèrent présents à l'accouchement. Elle donna le jour d'abord à Doriée; devenue grosse de nouveau, elle eut ensuite Léonidas, et enfin Cléombrote. Quelques-uns prétendent même que Cléombrote et Léonidas étaient jumeaux. Quant à la seconde femme d'Anaxandride, mère de Cléomène, elle n'eut point d'autre enfant. Elle était fille de Prinétadès, fils de Démarménus.»

XIII

Les habitants de l'île de Chypre s'unirent à ceux de Salamine contre Darius. Voici l'anecdote par laquelle le fait commença à s'expliquer:

«Le général au service des habitants de Chypre, Artybius, montait un cheval qui avait été dressé à se tenir droit sur ses jambes de derrière en présence d'un soldat armé. Onésilus, instruit de cette particularité, en parla à un de ses écuyers, Carien de naissance, homme très-expert dans l'art de la guerre, et d'une grande force d'âme. «Je sais, lui dit-il, que le cheval d'Artybius est accoutumé à se tenir droit sur ses jambes de derrière, et à attaquer de la bouche et des pieds de devant l'homme sur lequel on le porte. D'après cela, consulte-toi promptement, et dis-moi à qui, du cheval ou d'Artybius lui-même, tu préfères adresser tes coups?» L'écuyer répondit: «Seigneur, je suis prêt à frapper l'un et l'autre, ou l'un des deux seulement, à votre volonté, et enfin à faire tout ce que je crois le plus convenable à vos intérêts. Comme roi et général, je pense qu'il est dans l'ordre que vous ayez affaire à un autre roi et à un général: d'abord, parce que, si vous faites tomber sous vos coups un homme aussi distingué, une grande gloire vous en restera; et ensuite, parce que, s'il doit l'emporter sur vous, ce qu'aux dieux ne plaise, périr sous le fer d'un semblable adversaire est un malheur moins grand de moitié. Quant à nous, qui sommes de simples serviteurs, il nous convient de nous mesurer avec d'autres du même rang que nous, et avec un cheval même quand il est nécessaire. J'attaquerai donc celui d'Artybius, et je vous prie de ne point redouter les talents singuliers de cet animal: je vous réponds qu'il ne se lèvera plus sur ses jambes contre qui que ce soit.»

«Immédiatement après cette conversation, le combat s'engagea et sur terre et sur mer. Les Ioniens eurent dans cette journée une supériorité marquée, et battirent les Phéniciens. Parmi les vainqueurs, les Samiens obtinrent la palme du combat naval. Sur terre, les deux armées se chargèrent mutuellement et se mêlèrent. Quant aux deux généraux, voici ce qui se passa entre eux: lorsque Artybius, monté sur son cheval, se porta à la rencontre d'Onésilus, celui-ci, comme il en était convenu avec son écuyer, frappa le général des Perses; mais, tandis que le cheval, se dressant, lançait ses pieds sur le bouclier d'Onésilus, le Carien saisit cet instant et coupe avec une faux, dont il était armé, les jarrets de l'animal, qui tombe et entraîne dans sa chute Artybius.»

XIV

Erato, ou livre sixième, commence ici par le récit d'une grande bataille navale que les Ioniens perdirent en combattant pour la cause de Darius, leur allié.

Mais ce revers n'abattit point Darius. Il négociait avec Lacédémone contre Athènes et le reste de la Grèce; la légitimité du roi de Lacédémone était aussi contestée.

«Les Lacédémoniens prétendent, et en cela ils ne sont d'accord avec aucun poëte, que ce ne furent pas les fils d'Aristodémus, mais Aristodémus lui-même, fils d'Aristomachus, petit-fils de Cléodéus, et arrière-petit-fils d'Hyllus, qui les conduisit dans la contrée qu'ils possèdent aujourd'hui. Peu de temps après qu'ils y furent établis, la femme d'Aristodémus, qui se nommait Argia, fille, à ce qu'ils disent, d'Autésion, fils de Tisamène, petit-fils de Thersandre et arrière-petit-fils de Polynice, accoucha de deux enfants jumeaux, et Aristodémus, qui eut à peine le temps de les voir, mourut de maladie. À sa mort, les Lacédémoniens voulurent, comme la loi le prescrivait, prendre pour roi l'aîné de ces enfants; mais, ne pouvant les distinguer et n'ayant conséquemment aucune raison pour choisir l'un de préférence à l'autre, ils résolurent de consulter celle qui les avait mis au jour. Elle leur répondit qu'elle était, elle-même, hors d'état de distinguer l'aîné, quoique peut-être elle sût parfaitement la vérité; mais elle la taisait, parce qu'elle désirait que ses deux enfants fussent reconnus pour rois. Les Lacédémoniens, restés dans le doute, se déterminèrent à envoyer consulter l'oracle de Delphes sur le parti auquel il leur convenait de s'arrêter; et la pythie leur ordonna de prendre les deux enfants pour rois, mais cependant de rendre de plus grands honneurs au plus âgé. Par cette réponse, les Lacédémoniens se voyaient toujours dans la même incertitude, et ne trouvaient pas moins de difficultés qu'auparavant à discerner l'aîné, lorsqu'un Messénien qui s'appelait Panitès, leur suggéra un moyen de savoir la vérité. Il leur dit «d'observer avec soin la mère, et de remarquer quel était celui des deux enfants qu'elle lavait le premier et à qui elle donnait à manger avant l'autre; que s'ils s'assuraient que ce fût toujours au même qu'elle marquait cette préférence, ils découvriraient infailliblement ce qu'ils cherchaient à savoir; mais qu'au contraire, si elle faisait alternativement la même chose pour l'un et pour l'autre enfant, il était évident qu'elle n'en savait pas elle-même plus qu'eux, et qu'il faudrait alors chercher un autre moyen.» Les Lacédémoniens se rangèrent à l'avis de Panitès, et ayant fait suivre attentivement la mère des enfants d'Aristodémus, qui ne se doutait pas qu'elle fût épiée, ils reconnurent qu'elle montrait constamment plus d'égards pour un de ses enfants, et qu'elle le lavait ou le faisait manger toujours le premier. Ils s'emparèrent donc de celui que la mère distinguait ainsi, et le firent élever aux frais de l'État. Ils lui donnèrent le nom d'Euristhène; et à l'autre, qu'il regardaient comme le puîné, celui de Proclès. On assure que les deux frères, devenus grands, eurent de perpétuels débats pendant toute la durée de leur vie, et que la même discorde est passée chez les descendants de l'un et de l'autre.»

XV

Léonidas, devenu homme, fut le héros des Thermopyles contre les Perses. Hérodote raconte ainsi cet incroyable événement:

«Xerxès, qui s'avançait avec une armée de deux cent quarante mille Perses et qui ne doutait pas du triomphe, fit partir un homme à cheval pour les reconnaître et observer en quel nombre ils étaient et ce qu'ils faisaient. Il avait déjà entendu dire, en traversant la Thessalie, qu'un petit corps de troupes dont les Lacédémoniens étaient la principale force, s'était réuni aux Thermopyles, et qu'un descendant d'Hercule, Léonidas, le commandait. L'espion de Xerxès, s'étant avancé, observa et reconnut le camp, mais non pas toutes les troupes qui le composaient, car il ne pouvait apercevoir celles qui étaient en dedans du mur, que les Grecs venaient de relever dans la vue d'augmenter leurs moyens de défense. Il distingua donc seulement ceux qui étaient en dehors de ce mur sous les armes; et le hasard ayant voulu que dans ce moment les Lacédémoniens y fussent de garde, il vit les uns se livrer aux divers exercices du gymnase, et les autres occupés à peigner leur chevelure. Ce spectacle le frappa d'étonnement, et après avoir compté en quel nombre ils étaient et tout examiné avec soin, il revint tranquillement sur ses pas, sans être poursuivi, personne n'ayant daigné faire attention à lui. À son retour, il rendit compte en détail à Xerxès, de ce qu'il venait de voir.

«En écoutant ce récit, le roi ne put se figurer, ce qui était vrai pourtant, que ces Grecs s'attendaient bien à périr, mais ne voulaient perdre la vie qu'après l'avoir ôtée au plus grand nombre possible d'ennemis, et ne vit que de l'absurdité dans leur conduite. Il appela donc près de lui Démarate, fils d'Ariston, qui suivait, comme je l'ai dit, l'armée des Perses. Démarate ayant obéi, Xerxès lui adressa diverses questions, et désira savoir de lui ce qu'il croyait que les Lacédémoniens voulussent réellement faire. «Vous avez, lui répondit Démarate, entendu ce que je vous ai dit, en partant pour l'expédition de la Grèce, au sujet de ces Lacédémoniens et vous m'avez jugé insensé, parce que je prévoyais ce qui arrive aujourd'hui. C'est donc, ô roi, une lâche très-pénible pour moi d'avoir à dire encore des vérités qui blessent votre opinion; cependant, veuillez m'entendre. Ces hommes sont venus certainement avec le projet de combattre, pour défendre contre nous le défilé, et je n'en doute pas, parce que leur usage est de parer leurs têtes, toutes les fois qu'ils doivent exposer leur vie. Mais aussi, si vous êtes vainqueur des ennemis que vous avez en présence et ensuite de tous les Spartiates, qui jusqu'ici sont demeurés chez eux, il n'est alors aucune autre nation qui ose prendre les armes contre vous, dès que vous vous serez mesuré avec la ville la plus célèbre, avec la plus puissante royauté de la Grèce, et avec les plus braves des hommes.» Xerxès ne voulut ajouter aucune foi à ce discours, et interrogeant de nouveau Démarate, lui demanda: «comment une si petite poignée d'hommes s'y prendraient pour combattre contre toute son armée?—Ô roi, répondit Démarate, tenez-moi, j'y consens, pour un menteur, si les choses arrivent autrement que je le dis.»

«Malgré cette assurance, Xerxès ne fut pas persuadé. Il laissa donc passer quatre jours, espérant que les Grecs se retireraient. Le cinquième, comme ils ne s'éloignaient pas, il crut qu'ils ne s'obstinaient à demeurer que par une sorte de folie, et, s'irritant de ce qui lui paraissait un excès d'impudence, il envoya contre eux les Mèdes et les Cissiens, leur ordonnant de les faire tous prisonniers et de les lui amener vivants. Les Mèdes obéirent et attaquèrent les Grecs, mais ils furent repoussés et perdirent beaucoup de monde; d'autres succédèrent, et, quoiqu'ils tinssent ferme plus longtemps malgré les pertes qu'ils éprouvaient, l'événement de ces attaques fit connaître à tous ceux qui en étaient témoins, et au roi lui-même, qu'il y avait dans l'armée perse beaucoup d'hommes et peu de soldats. Le combat dura tout le jour.

«Les Mèdes, de plus en plus maltraités, étant revenus en arrière, le corps des Perses, à qui le roi a donné le nom d'Immortels, commandé par Hydarne, prit leur place, comme la troupe la plus propre à terminer avec facilité cette lutte. Mais, quand ils eurent joint les Grecs et que la mêlée fut engagée, ils n'en firent pas plus que n'avaient fait les Mèdes, et eurent le même sort. En combattant dans un défilé très-étroit, où la supériorité du nombre ne pouvait leur servir, ils avaient encore le désavantage des armes, les piques qu'ils maniaient étant plus courtes que celles des Grecs. Les Lacédémoniens, dans cette journée, s'acquirent une grande gloire; et, entre autres faits remarquables, montrèrent bien toute la supériorité que leur donnait la connaissance de l'art de la guerre sur des ennemis ignorants. De temps en temps, ils tournaient le dos comme s'ils allaient prendre tous la fuite, et les barbares, voyant ce mouvement, s'abandonnaient à leur poursuite, poussant de grands cris et frappant sur leurs armes; mais, au moment où ils allaient atteindre les Lacédémoniens, ceux-ci, se retournant subitement, faisaient tête, et, renouvelant le combat, jetaient sur la place un nombre infini de Perses. Les Spartiates n'éprouvèrent qu'une perte légère. Enfin, les Perses voyant, après ces inutiles tentatives, qu'il leur était impossible de s'emparer d'aucun point du défilé, prirent le parti de se retirer.

«On rapporte que le roi, témoin de ces combats, et tremblant pour le salut de son armée, s'élança trois fois de son trône. Cependant, après tant d'attaques, les barbares, persuadés que les Grecs, en si petit nombre, devaient nécessairement être tous blessés et hors d'état de se servir de leurs bras, en tentèrent encore une le jour suivant; mais elle n'eut pas un plus heureux succès que les autres. Les Grecs, rangés par ordre de peuples, prirent part tour à tour à ces divers combats, à l'exception cependant des Phocidiens, qui, placés sur la montagne en gardaient les sentiers. Enfin les Perses, n'ayant pas mieux réussi le dernier jour que le premier, rentrèrent dans leur camp.

«Tandis que Xerxès balançait sur le parti à prendre, un Mélien nommé Épialte, fils d'Eurydémus, étant venu le trouver, dans l'espoir d'en tirer une grande récompense, lui apprit qu'il existait dans la montagne un sentier qui conduisait aux Thermopyles, et par une si funeste révélation causa la perte de tous les Grecs placés à la défense du défilé. Cet Épialte, craignant, à la suite de sa trahison, la vengeance des Lacédémoniens, s'enfuit en Thessalie; et, dans une assemblée générale des amphictyons réunis aux Piles, sa tête fut mise à prix par les Pylagores. Quelque temps après cette proscription, Épialte revint à Anticyre où il fut tué par un habitant de Trachis nommé Athénade, mais pour un motif étranger à sa trahison, et que j'aurai par la suite l'occasion de faire connaître. Cependant Athénade n'en reçut pas moins des Lacédémoniens le prix fixé. Tel fut le sort d'Épialte, dont la mort suivit de près ces événements.

«Si l'on en croit d'autres récits, ce fut Onétès, fils de Phanagoras, habitant de Caryste, et Corydallus d'Anticyre, qui vinrent trouver le roi, et conduisirent l'armée perse par la montagne; mais cette tradition ne me paraît mériter aucune croyance, et, pour le prouver, il suffit de lui opposer que les Pylagores, qui sans doute connaissaient parfaitement la vérité, n'ont pas mis à prix les têtes d'Onétès et de Corydallus, mais seulement celle d'Épialte de Trachis, et l'on sait de plus que ce fut par ce motif qu'Épialte prit la fuite. Il serait à la vérité possible qu'Onétès, quoiqu'il ne fût pas Mélien, eut en connaissance de ce sentier, s'il avait beaucoup fréquenté le pays; mais je n'en persiste pas moins à établir que ce fut Épialte qui guida l'ennemi par la montagne, et c'est lui que j'accuse.

«Xerxès, enchanté de ce qu'Épialte venait de lui apprendre, s'empressa de détacher Hydarne, qui, suivi de la troupe qu'il commandait, partit du camp à l'heure où l'on allume les feux. Le sentier de la montagne avait été jadis découvert par les naturels du pays, les Méliens, et ils y avaient fait passer les Thessaliens, marchant contre les Phocidiens à l'époque où ces derniers, menacés de l'invasion des Thessaliens, élevèrent le mur qui fermait l'entrée de leur pays. On voit donc que, déjà dans ce temps, les Méliens firent mauvais usage de leur découverte.

«Cependant, au lever du soleil, Xerxès, ayant fait des libations, attendit l'heure du marché plein pour se mettre en mouvement: c'était celle qui avait été convenue avec Épialte, et calculée sur la descente de la montagne, qui demandait moins de temps que la montée. D'ailleurs, le chemin en allant vers les Thermopyles est beaucoup plus court que cette montée, jointe au détour qu'il avait fallu faire du côté opposé. Xerxès, ayant fait avancer l'armée à l'heure dite, les Grecs, sous le commandement de Léonidas, sortirent de leur camp, pour marcher sans hésiter à une mort certaine, et s'étendant beaucoup plus qu'ils n'avaient fait encore, parurent dans une partie plus large du défilé. Jusque-là, ils s'étaient couverts par la muraille, et pendant tous les jours précédents avaient combattu dans l'espace le plus étroit. Pour cette fois, ils en vinrent aux mains avec les barbares au delà du rétrécissement, et un nombre infini d'ennemis trouvèrent la mort dans ce combat. Indépendamment de ceux qui succombèrent sous le fer des Grecs, comme il y avait derrière les rangs des barbares des chefs de peloton armés de fouets, sans cesse occupés à pousser à grands coups les soldats en avant, beaucoup d'entre eux, ainsi pressés, tombèrent dans la mer et s'y noyèrent; d'autres, et en plus grand nombre encore, furent, sans qu'on y fît aucune attention, écrasés tout vivants sous les pieds de la foule des leurs, qui se succédaient sans interruption. Enfin, on ne peut se faire une juste idée de tout ce qui périt dans cette mêlée; car les Lacédémoniens, instruits d'avance que les troupes avaient franchi les montagnes, leur portaient la mort, ne songeant plus à se ménager, et, pour ainsi dire, hors d'eux-mêmes, déployèrent des forces surnaturelles contre les barbares.

«La plupart d'entre eux, ayant brisé leurs piques, continuèrent à combattre avec l'épée. Léonidas, couvert de gloire, tomba dans l'action, et près de lui les plus illustres Spartiates, hommes que l'on ne peut trop louer, et dont j'ai recueilli avec soin les noms: je connais même ceux de tous les trois cents.»

XVI

Ainsi fut non pas sauvée, mais immortalisée la Grèce par la défaite triomphante de Léonidas. Hérodote la raconte avec la simplicité du fait le plus vulgaire; mais l'histoire elle-même a des solennités. Léonidas et Thémistocle devinrent les deux noms de la Grèce.

XVII

Les batailles de Marathon et de Platée délivrèrent le Péloponèse et chassèrent les Perses. Hérodote s'arrête après la libération de sa patrie.

On voit qu'Hérodote est le premier des historiens, fort remarquables et fort éclairés, que la Grèce nous a donnés comme les sources de l'histoire; mais ce n'est point un historien primitif, tels que les grands ancêtres de l'esprit humain aux Indes, en Chine et en Judée nous ont apparu. Il écrivait bien des siècles après eux et dans un style fort différent. Il ne croyait pas aux fables qu'il racontait: le monde n'était plus assez jeune pour conserver la naïveté de son enfance. L'âge de la critique était venu: son livre en est plein. L'histoire est la foi des peuples: il n'y en avait plus que dans les sanctuaires ou dans les colléges des prêtres: aussi c'était là qu'il cherchait ses traditions pour les discuter. Il écrivit après les Indes, après la Chine, dont il ne connaissait pas même le nom; après Homère, prodige insondable d'histoire, de poésie, de philosophie et de langue pour la Grèce; après la Sicile et la Grande Grèce italique, où Pythagore avait enseigné; tout cela était vieux, lui seul était jeune. Il vaudrait autant prendre aujourd'hui Voltaire pour le père de l'histoire moderne. Excepté qu'il est plus sérieux, Hérodote a beaucoup de rapport avec l'auteur du *Siècle de Louis XIV*. Il est le père du bon sens dans l'histoire; mais de l'histoire, non; il faut aller aux Indes, il faut aller à Moïse, pour trouver les historiens sans critique, les historiens primitifs et miraculeux, miraculeux de style comme de traditions; l'époque critique naît longtemps après; la raison éclaire, mais elle n'impressionne pas. J'aime mieux le *Fiat lux* de Moïse que tout le sens commun d'Hérodote; mais Hérodote sert à prouver aussi que le sens commun est très-vieux.

FIN DE CLIXe ENTRETIEN.

LAMARTINE.

Typ. de Rouge frères, Dunon et Fresné, rue du Four-St-Germain, 43.

CLXᵉ ENTRETIEN

SOUVENIRS DE JEUNESSE
LA MARQUISE DE RAIGECOURT

I

Aymond de Virieu, qui m'aimait comme un frère, parlait souvent de moi dans les maisons de la haute noblesse où sa naissance et ses relations de famille le rendaient familier. C'est à lui que je dus l'accueil empressé et l'amitié de madame la marquise de Raigecourt et de sa charmante famille. Je ne prononce jamais ce nom qu'avec attendrissement et respect. C'était une femme accomplie.

Son mari était pair de France. Il était attaché au roi comme émigré et dévoué aux ministres comme royaliste. Il tenait, dans la rue de Lille, en face de l'hôtel de la Légion d'honneur, une des maisons les plus intéressantes de Paris. Sa surdité l'empêchait de participer aux agréments de cette société très-distinguée, mais sa femme et ses filles attiraient chez lui la cour et la ville.

La marquise de Raigecourt, dont on vient de publier les *Lettres*, avait un titre sacré à l'amitié du roi Louis XVIII et au respect de tous les royalistes. Elle avait été, jusqu'au supplice de Madame Élisabeth, cet ange expiatoire, quoique immaculé, de la Révolution, sa dame d'honneur, sa favorite et son amie.

La jeune princesse en avait fait sa sœur; elle n'avait rien de caché pour elle. Ses *Lettres*, que nous venons de lire, découvrent en elle des qualités de caractère que l'on ne croyait pas jointes à tant d'innocence. Sa vertu avait la virilité d'un homme; elle s'était réservé son cœur pour aimer le roi et pour détester ses ennemis, mais elle laissait la vengeance à Dieu. Tous ses sentiments n'étaient que des vertus. Quand elle fut conduite à l'échafaud révolutionnaire pour y mourir avec plusieurs dames de la cour et avec leurs filles, elle demanda à mourir la dernière, et elle partagea avec elles le mouchoir qui protégeait son sein pour sauver au moins la pudeur de celles dont elle ne pouvait sauver la vie. La marquise de Raigecourt ne put la suivre, parce qu'elle était récemment mariée et en couche de son premier enfant.

On peut concevoir ce qu'une telle mort d'une telle amie laissa dans son âme d'énergie, d'horreur et de tendresse pendant sa vie. Cette mort, qui lui assurait un ange au ciel au lieu d'une amie sur la terre, ne lui laissa point de tristesse, mais cette gaieté sereine qui brave les malheurs ordinaires de la vie. Si madame de Sévigné avait échappé à la hache de ces jours terribles, c'est ainsi qu'elle eût survécu.

II

Dès qu'elle m'eut vu, elle conçut pour moi un sentiment qui était moins que l'amour, mais plus que l'amitié, une tendresse véritablement maternelle. J'avais mon couvert tous les jours à sa table. Quand je passais quelques jours sans la voir, elle prenait la peine de venir elle-même chez moi pour s'informer de ce qui me retenait; elle gardait mon argent de réserve avec le sien dans son tiroir; elle me préparait, si j'étais malade, au coin de mon feu, les tisanes commandées par le médecin; elle écrivait à ma mère des nouvelles de mon cœur et de mon âme; elle aurait remplacé la Providence, si la Providence s'était éclipsée pour moi; elle prenait à mes poésies, qui n'avaient pas encore paru, un intérêt partial, passionné, que je n'y prenais pas moi-même; elle me comparait à Racine enfant; elle était fière de préparer aux Bourbons un poëte encore inconnu, mais qu'elle rendrait royaliste et religieux comme elle.

Elle n'affectait pas de rigorisme avec moi; elle ne s'informait pas avec inquiétude des visites d'une belle princesse romaine qu'elle rencontrait quelquefois sur mon escalier, et dont elle admirait la beauté sans en connaître le nom. Elle savait que la jeunesse a besoin d'indulgence et que la discrétion est la vertu des mères.

Elle avait eu récemment un malheur de famille qui avait fait grand bruit dans le monde. L'aînée de ses filles, jeune personne très-jolie et très-intéressante, avait été demandée en mariage par un vieux gentilhomme riche de l'Est de la France. On la lui avait accordée sans prendre des informations suffisantes. Peu de temps après son arrivée dans le château, la jeune femme avait appris que son mari n'avait désiré en elle qu'une concubine de plus, et que sa couche légitime devait être partagée par une femme étrangère, maîtresse absolue du château. Elle avait trouvé moyen de faire porter par un domestique affidé une lettre à la poste prochaine adressée à sa mère à Paris. Madame de Raigecourt, indignée, mais prudente, était arrivée au château du comte de ***. La nuit suivante, elle s'était évadée avec sa fille par des sentiers secrets du parc. Elle l'avait ramenée à Paris, où elle n'osait la laisser sortir sans précaution, de peur des entreprises de son mari pour recouvrer sa femme. La jeune veuve de ce mari vivant vécut ainsi plusieurs années chez sa mère. Elle était aussi intéressante qu'adorable. Elle charmait tout le monde, mais elle n'eut de faiblesse pour personne. À la mort de son mari, elle ne profita de sa liberté et de sa fortune que pour entrer dans un monastère de charité aux environs de Paris, où je la vois une ou deux fois par an, toujours fidèle à sa famille et à ses amitiés, consacrant à Dieu ce que les hommes avaient si peu su respecter. Sa présence chez sa mère et le mystère qui l'entourait donnaient à la maison de la marquise de Raigecourt la grâce d'un secret deviné, mais jamais révélé.

III

Une de ses sœurs épousa le comte de Las Cases, officier des gardes du corps, un des hommes les plus loyaux que j'aie connus, avec lequel je suis resté lié jusqu'à présent. Le jeune et spirituel Cazalès, fils du célèbre orateur rival de Mirabeau, venait assidûment dans cette maison. Il était camarade des pages et ami du jeune Raigecourt; Raigecourt devait être riche et pair de France après la mort du marquis. Des événements inattendus lui enlevèrent sa fortune.

En 1848, à la fatale journée du 15 mars, où le peuple fit invasion dans l'Assemblée constituante et la dispersa par un acte de démence, j'y rentrai avec un bataillon de gardes mobiles et nous dispersâmes les séditieux, maîtres du palais de la Chambre; je haranguai les députés au son d'un tambour, et je montai à cheval pour marcher contre l'Hôtel de ville, occupé par six cents hommes et six pièces de canon braquées sur nous. En me retournant, je fus surpris de voir le duc de Laforce en habit de garde national, la baïonnette au bout du fusil, marcher résolument et plein d'enthousiasme patriotique derrière mon cheval; cela me frappa: je sentis qu'un pays où l'élite de la jeunesse opulente se dévouait ainsi par l'énergie du sang pour sauver l'ordre au risque de sa vie ne périrait jamais. Je vis du même coup d'œil, à mes côtés, le duc de Laforce, M. de Falloux, le fils du roi Murat, brave et calme comme son père, Ledru-Rollin, que j'avais rencontré et engagé à monter à cheval avec moi. L'Hôtel de ville fut pris et les chefs des factieux furent faits prisonniers avant la nuit. Ledru-Rollin, craignant avec raison qu'ils ne fussent massacrés par le peuple en allant à Vincennes, eut l'heureuse pensée de les garder jusqu'à la nuit à l'Hôtel de ville. J'y consentis avec empressement. Nous fûmes vainqueurs deux heures après avoir été vaincus. Aucune goutte de sang ne consterna la victoire. Le duc de Caumont-Laforce fut pour beaucoup dans cette journée. Je ne le rencontre jamais sans me rappeler l'impression qu'il produisit sur moi ce jour-là; depuis cette époque, il a marié sa charmante fille avec le fils de Raigecourt.

IV

La Restauration fut ingrate envers le jeune Cazalès. Un tel nom n'aurait jamais dû être oublié par les frères de Louis XVI. L'ingratitude porte malheur aux rois comme aux peuples. Cazalès, après 1830, hésita longtemps entre le mariage avec une jeune personne très-aimable, mais très-indécise comme lui, et l'Église, à laquelle ses mœurs pures et ses principes le disposaient. L'indécision de mademoiselle *** le décida enfin à entrer dans les ordres sacrés, où il est aujourd'hui humblement attaché comme simple prêtre à une église de Versailles.

Quant au marquis de Raigecourt, il épousa d'abord une riche héritière de Lyon. Devenu veuf peu de temps après, je contribuai beaucoup à lui faire épouser la beauté et la bonté le plus accomplies du royaume de Naples, la fille de M. Lefèvre, que j'avais connue et admirée dans ce pays de tous les prodiges. Hélas! elle lui fut trop promptement ravie par la mort. Depuis cette perte, il alla plusieurs fois en pèlerinage à Jérusalem, et vécut dans une modeste obscurité, après avoir passé son enfance dans toutes les promesses des cours, et sa jeunesse dans toutes les opulences et dans toutes les délices de son double mariage.

Sa mère était morte après 1830. Sa sœur survit heureuse et recueillie dans des œuvres de charité au couvent de..., près de Paris, d'où elle m'écrit quand quelque infortune lui rappelle mon nom. Sa porte que je salue toujours d'un sourire reconnaissant au coin de la rue Bellechasse et de la rue de Lille, vis-à-vis de la Légion d'honneur, fut la première porte par laquelle j'entrai dans le monde.

LE DUC DE ROHAN (PRINCE DE LÉON)

I

Une autre amitié s'offre à ma mémoire quand elle revient sur ces premières années: c'est celle du prince de Léon, depuis duc de Rohan, puis prêtre, puis archevêque à Besançon, puis cardinal.

Le prince de Léon, à l'époque où il voulut bien oublier la distance que la naissance et la fortune avaient mise entre nous, était officier des mousquetaires, et, je crois, aide de camp du roi Louis XVIII. Je me souviens de l'avoir vu caracoler à la suite de ce prince, qui passait, en 1814, une revue sur le Carrousel. Je fus frappé de son admirable beauté. C'était la grâce d'une femme en uniforme; l'enharnachement du cheval, la coiffure militaire du jeune prince, sa taille souple et élevée, l'ondulation de ses cheveux fins et bouclés autour de son casque rappelaient Clorinde sous les murs de Sion. On était loin de voir succéder à ce costume le vêtement noir d'un pontife et la barrette du cardinal. Quelque chose de la gloire sanglante des armées de Napoléon se reflétait sur cette belle figure. On confondait les vieux et les jeunes militaires dans la même admiration.

Les mousquetaires de Louis XVIII et les grenadiers à cheval de l'Empire ne formaient, ce jour-là, qu'une même illustration; l'éclat de la noblesse relevait la sévérité de la démocratie militaire. La beauté du prince de Léon se grava tellement dans mon imagination, que, deux ans après, je m'en souvenais encore.

II

Après 1815, l'invasion de Napoléon, Waterloo et le second retour du roi, cette élégante image ne s'était pas effacée. Le prince de Léon était devenu le duc de Rohan par la mort de son frère. Il avait épousé mademoiselle de Sérent. Cette jeune femme était morte bientôt après son mariage, brûlée dans son appartement en faisant sa toilette pour aller au bal. Cette mort soudaine et terrible avait frappé la société du faubourg Saint-Germain d'une émotion qui durait encore. Les mousquetaires étaient supprimés, le duc de Rohan vivait seul et triste dans l'hôtel de sa belle-mère, au milieu de la rue de l'Université. Quelques amis et quelques courtisans de sa mélancolie étaient assidus près de lui. C'étaient, en général, des esprits distingués et religieux qui se destinaient à la prêtrise.

Le duc Mathieu de Montmorency était du nombre: ces grands noms de la monarchie, Montmorency, Rohan, la Rochefoucauld, se prêtaient une splendeur mutuelle. Quelques jeunes gens, comme M. Rocher, comme M. de

Genoude, comme M. de Lamennais, comme M. Dupanloup, aujourd'hui évêque si éloquent d'Orléans et membre de l'Académie française, étaient en relation avec le duc de Rohan. Ils lui parlèrent de moi comme d'un jeune homme qui donnait de belles espérances à la poésie, au royalisme, et qui n'était point enrôlé dans le parti opposé à la religion. Genoude récita des fragments de mes vers à la fois tristes et vaguement éthérés. Le duc de Rohan en fut enthousiasmé; il témoigna un vif désir de me connaître; Genoude ne lui dissimula pas ma répugnance à aller me présenter moi-même chez un grand seigneur inconnu. Le duc de Rohan, qui avait les goûts très-littéraires et la passion des beaux vers, lui dit qu'à ses yeux le grand seigneur était celui qui avait le plus de parenté de nature avec Racine, et qu'il n'hésiterait pas à le prouver en venant lui-même chez moi solliciter mon amitié. Il fut convenu que, sans me prévenir, Genoude l'y amènerait le lendemain. Je les vis en effet entrer ensemble le jour suivant. Je reconnus le beau mousquetaire de la revue de 1814, aux traits charmants du duc de Rohan. Il me dit que la poésie rendait égaux tous les hommes et qu'il serait heureux de mon amitié. Je répondis timidement de mon mieux. De ce moment nous fûmes amis. Je passai peu de jours sans le voir. Il n'avouait pas encore ouvertement son penchant à la carrière ecclésiastique. Son peu de goût pour le mariage, qu'on imputait généralement à la mort affreuse de sa femme, le rendait trop compréhensible; mais les traditions de sa famille, la mémoire de son oncle le cardinal Louis de Rohan, si fameux par l'affaire du collier et de madame de Lamothe, plus fameux par son repentir sincère et par son retour courageux à la royauté de Louis XVI, ses instincts véritablement religieux le prédisposaient; on peut dire que le mousquetaire était né pontife. Il aimait la religion, surtout pour ses pompes et ses solennités. Tel était le duc de Rohan.

III

Cependant, il aimait aussi le monde et ses élégances pendant qu'il continuait à y vivre. Il venait souvent me prendre dans sa calèche pour nous promener au bois de Boulogne ou à Saint-Cloud; ses chevaux étaient magnifiques, ses équipages princiers, les grandes guides de son attelage étaient d'or et de soie; ses cochers ne les maniaient qu'avec des gants blancs pour ne pas les ternir; les livrées étaient de la même recherche; il attirait les regards de la foule partout où il passait. Il jouissait d'être l'objet de la contemplation envieuse de tous ceux à qui ces magnificences et sa belle figure le faisaient reconnaître; il tenait le sceptre de l'ostentation. Cela lui semblait un devoir de son nom.

Quand l'hiver fut remplacé par le printemps, il me demanda de l'accompagner dans sa résidence d'été, et d'y passer avec lui et ses amis quelques jours. Je ne m'y refusai pas. Il vint me prendre un matin, seul, en poste, dans sa calèche de voyage. Un courrier en riche livrée nous précédait pour faire préparer ses chevaux sur la route de Meulan. Le but du voyage était le beau château de la Roche-Guyon, demeure, avant la Révolution, de la duchesse d'Inville et du duc de la Rochefoucauld, son gendre, assassiné pour prix de ses vertus populaires en venant de Rouen à Paris.

Cette terre de la Roche-Guyon était devenue, j'ignore comment, la résidence favorite du duc de Rohan. Elle est revenue depuis à la duchesse de la Rochefoucauld-Liancourt, femme aussi spirituelle, aussi vertueuse, et plus solide que le duc de Rohan lui-même.

Le château, presque royal, est situé au bord de la Seine, dont il domine le cours. Un peu plus loin, les prairies s'élargissent et éloignent la rivière du château; là s'élève un petit château que le duc me donna pour en faire mon habitation personnelle, quand il me conviendrait de m'y fixer pendant la belle saison. Je crois que cela est devenu une maison hospitalière dépendant du château, asile ombragé et verdoyant dans les grands peupliers de la prairie. De là on repassait la route, et on entrait dans la cour d'honneur de la Roche-Guyon. Une espèce de tribune, surmontée d'une galerie, s'élevait au-dessus de l'escalier. Le duc, pour ne pas perdre l'habitude féodale de ses ancêtres, s'y fit apporter un sac de monnaie par le concierge, et jeta une poignée de pièces d'argent à quelques mendiants qui nous avaient suivis, et qui étaient entrés avec la voiture dans la cour; puis nous passâmes dans les appartements: c'était une suite de pièces décousues, composées de salle des gardes, de salle à manger, de salons, de chambres de lit ouvrant sur le penchant de la montagne récemment plantée en jardins pittoresques. Ces jardins s'élevaient, par des allées tournantes, jusqu'au sommet de la colline. Là, des avenues d'ormes en patte d'oie s'étendaient sur un large plateau, à perte de vue, dans les terres du domaine.

IV

Une autre aile du château était occupée par une chapelle vaste, décorée, desservie par des aumôniers, et dont on sentait que le duc faisait ou comptait faire la pièce principale de son palais. Les autels et tableaux, les décorations de tout genre la surchargeaient de luxe pieux. C'était vraiment la chapelle privée d'un futur cardinal. La vie de château, à la Roche-Guyon, avait quelque chose d'un séminaire. La salle à manger et les salons étaient remplis de jeunes ecclésiastiques ou aspirant à le devenir, pleins de mérite, dont quelques-uns, tels que les évêques de Perpignan et d'Orléans, n'ont pas depuis trompé les augures. J'étais peu à ma place dans cette société; mais le duc et ses commensaux me traitaient en poëte qui voit tout sans participer à rien. Je fus prié de faire quelques vers sur le château, et j'écrivis la Méditation intitulée *La Roche-Guyon*. J'en laissai en partant le manuscrit au château. Mais je me hâtai de revenir à Paris avec le duc et Genoude, pour retrouver la charmante princesse romaine que j'avais laissée malgré moi, et que je ne pouvais oublier. Je me souviens même qu'en route, entendant mes compagnons de voyage vanter les douceurs de la dévotion, je convins avec eux qu'elle avait ses charmes, quand elle était ardente et sincère, mais que l'amour pour une beauté accomplie me paraissait une dévotion des sens à laquelle je ne pouvais rien comparer sans me mentir à moi-même. On me traita de profane, on sourit et on parla d'autre chose.

Voilà comment commencèrent mes relations avec le duc de Rohan.

V

Je continuai ensuite à avoir une véritable amitié pour lui, et lui pour moi. Quand mes œuvres parurent en livre, il contribua beaucoup à les répandre: la diversité de nos vocations nous sépara plus tard, il était entré au séminaire et moi dans le monde des affaires.

En 1829, l'Académie française daigna me choisir. Il fut question de mon discours, dans lequel chacun cherchait une profession de foi politique qui devait décider de la ligne de ma vie. Le moment était difficile; les opinions étaient agitées et confuses. M. Royer-Collard avait augmenté la confusion, en ayant une conduite équivoque dans le vote de la Chambre sur le choix des ministres. Il avait voté contre le roi. Je n'y avais rien compris. Je le croyais ce que j'étais moi-même: un loyal royaliste, aussi incapable de manquer au roi qu'à la Charte. Son vote m'avait dérouté.

Quelques jours avant que je prononçasse mon discours à l'Académie, M. Cuvier donna pour moi un grand dîner dans son palais d'études au Jardin des plantes. Je dis palais d'études, parce que je fus frappé en y entrant par la disposition des chambres consacrées à ses divers travaux. Il y en avait douze, chacune avec une cheminée, une bibliothèque, une table, du papier, des plumes, de l'encre sous la main, pour que l'homme multiple, résumé dans M. Cuvier, n'eût qu'à changer de fauteuil pour changer de travail.

Avant de nous mettre à table, nous parcourûmes en groupes ces divers cabinets. M. Royer-Collard me prit à part dans l'embrasure d'une des douze portes et me fit signe qu'il désirait s'entretenir avec moi en particulier. «J'ai cru remarquer, me dit-il, que vous vous éloignez de moi avec une certaine réserve. Je comprends pourquoi: j'entrevois que vous ne me comprenez pas dans mon rôle à la Chambre depuis mon dernier discours et mon dernier vote.

«—Puisque vous me le dites vous-même, lui répliquai-je, je ne vous dissimulerai pas qu'en effet le vote et la conduite parlementaire d'un homme de votre loyauté et de votre importance me semblent inexplicables dans les circonstances où la monarchie des Bourbons, vos amis, se trouve engagée. Je n'approuve pas les tendances contre-révolutionnaires qu'on attribue au prince de Polignac. Je viens de le prouver tout récemment, en refusant de m'y associer par la place de sous-secrétaire d'État des affaires étrangères dans ce ministère. Mais je crois la Charte suffisante pour donner à la Chambre l'occasion et le droit de s'expliquer, et, si je crains qu'elle soit attaquée un jour par le ministre, je ne crains pas moins qu'elle ne soit violée par un coup d'État parlementaire. Or, déclarer au roi, dans une adresse, que ses ministres ne sont pas ceux de l'Assemblée et qu'on repoussera tout ce qui viendra d'eux, c'est, selon moi, dépasser les droits de l'Assemblée et nommer, en réalité, les ministres. Ce n'est pas la Charte, c'est le roi qui nomme les ministres.»

M. Royer-Collard me parut embarrassé; il rougit, et prenant un accent plus bas et plus intime de confidence:

«Eh! oui, sans doute, me répondit-il, je pense comme vous; mais j'ai jugé que, si la Chambre ne l'avertissait pas, par une adresse un peu violente et qui déclarerait l'incompatibilité des députés et des ministres, dès leur premier acte, c'est-à-dire dès l'acceptation de leurs fonctions, le roi se croirait encouragé à les maintenir et à tenter avec eux quelque chose contre la Charte.

«Et moi aussi, lui répliquai-je; mais je ne crois pas que violer la Charte soit un moyen de la maintenir, et je persiste à croire que le vote de l'adresse par les 221 est un défi à la royauté, et qu'il valait mieux attendre, pour défier, une occasion constitutionnelle qui avertît le roi sans prendre l'initiative d'attenter à l'esprit de la Constitution.»

M. Royer-Collard ne trouva pas de bonnes raisons pour défendre l'adresse, et me parut un homme qui avait voulu conserver sa popularité à un prix trop dangereux et flatter les 221 au delà de leur droit. Je trouvai cette explication confidentielle aussi subtile que l'adresse elle-même des 221 me semblait périlleuse. Peu de mois après, il vit que j'avais raison: le défi était porté par la Chambre, et le coup d'État qui y avait répondu avait renversé la Restauration par le gouvernement de 1830.

VI

Peu de jours auparavant, le duc de Rohan, qui était devenu déjà archevêque de Besançon et cardinal, vint me prendre dans sa voiture, en se rendant aux Tuileries, pour me dissuader d'une déclaration constitutionnelle que je devais faire dans mon discours à l'Académie. Les deux partis opposés mettaient beaucoup d'importance à cet engagement que je devais faire pour ou contre eux. «Prenez-y garde! me dit-il à la fin de sa conversation; votre destinée politique dépend de ce que vous allez dire; nous ne vous pardonnerons jamais si vous vous déclarez contre nous.—Je ne me déclarerai que contre les exagérés des deux partis, lui dis-je. Mais, si l'attachement à la

Charte vous paraît dangereux pour mon avenir, condamnez-moi dès à présent, car j'ai cru cette conciliation nécessaire entre l'ancien régime et l'avenir de la France; et si c'est vous offenser que de le dire tout haut dans une occasion solennelle, soyons ennemis dès aujourd'hui; je ne vous en aimerai pas moins comme un de mes premiers amis.»

Nous nous fîmes ces adieux. Je fis mon discours tel que je l'avais conçu. Il eut un brillant succès, et de ce jour on me compta au nombre de ces royalistes libéraux fidèles à la monarchie éclairée, qui voulaient la défendre et non lui complaire en la perdant.

Le lendemain des journées de Juillet, le duc de Rohan s'évada de Paris pour se réfugier dans son diocèse. Il fut insulté dans un faubourg, arrêté par le peuple, puis relâché, et il se retira en Suisse. Je n'étais pas en France pendant ces journées, je n'y rentrai que quelques jours après. Le duc ne rentra lui-même à Besançon que quelques mois plus tard; il y fut reçu avec suspicion et inquiétude. Le bruit de l'inimitié du peuple de Paris contre lui s'était répandu; on le traitait en suspect; ses vertus épiscopales lui firent pardonner. Il y vécut en sage, repentant d'un peu trop de zèle; il y mourut à la fleur de son âge, plein de mansuétude et de précoces vertus. Telles furent la vie et la fin de cet excellent homme. Il avait racheté autant qu'il était en lui les légèretés du cardinal Louis de Rohan et réhabilité son nom dans l'Église.

LE DUC DE MONTMORENCY

I

Le duc Mathieu de Montmorency, le plus grand nom de France, avait eu pour premier maître en révolution et en religion politique l'abbé Sieyès. Sieyès, devenu célèbre par une brochure radicale au commencement des États généraux, avait été du premier bond au fond de la question, et, prenant uniquement pour logique le droit et l'intérêt du grand nombre, avait conclu dans son titre même: *Qu'est-ce que le tiers état? C'est tout.*

Absolu dans les principes, il avait été modéré dans les applications. Il voulait tout ébranler, mais ne rien détruire; car il avait des bénéfices et des fonctions ecclésiastiques comme grand vicaire de Chartres. On peut juger combien les doctrines d'un tel homme d'esprit devaient sourire à un très-jeune homme, qui en avait fait son oracle et qui portait dans ses votes populaires l'ardeur de son âge et l'illusion de sa passion du bien public. Aussi la Révolution, dans ses principes, le compte-t-elle parmi ses plus ardents apôtres. Il se lia avec ses plus éloquents promoteurs, les Mirabeau, les Lameth, les Barnave, les la Fayette. Toutes ses motions furent pour la démocratie la plus avancée. Quand on voulut détruire la noblesse, on emprunta sa main. Ce fut lui qui, dans la nuit fameuse du 7 août, commença cet abatis de privilèges, ce défrichement de la France qui la rendit invincible. Son impopularité bruyante parmi les défenseurs de l'ancien régime condamna son nom aux invectives et aux sarcasmes de l'Europe entière. Son nom devint le synonyme de l'apostasie. Il supporta avec la constance d'un néophyte convaincu les injures de son ordre, et ne témoigna aucun repentir de sa témérité jusqu'au jour où un crime, la mort de son frère chéri, l'épouvanta des conséquences que la démocratie furieuse tirait de son dévouement.

Il parut alors changer de principes en changeant de rôle: il émigra, non pas pour combattre son pays, mais pour se réfugier dans les larmes de ceux qui, en voulant faire beaucoup de bien, ont ouvert la porte à beaucoup de mal. Il était lié avec madame de Staël, fille de M. Necker. Il trouva en Suisse, dans la maison de Coppet, l'amitié la plus tendre, la religion la plus tolérante et toutes les consolations que les mêmes déceptions donnent aux illusions également trompées.

Au 18 brumaire, il espéra mieux de sa patrie, mais il craignit le despotisme du sabre et ne s'engagea pas avec le dictateur. La résipiscence ne pouvait être complète à ses propres yeux que quand il aurait contribué à rendre un trône aux frères de Louis XVI, auxquels il s'accusait d'avoir involontairement arraché le trône et la vie. Homme d'illusions immenses, il lui en fallait dans le repentir comme il en avait eu dans la lutte. Il se livra alors à la dévotion la plus entière et la plus vive, et il consacra à Dieu toutes les pensées éparses de sa vie.

II

Le duc de Montmorency, ayant entendu parler de moi avec les illusions de l'amitié, vint lui-même, avec une prévenance extrême, au-devant de ma timidité. M. de Genoude était avec lui. Je fus saisi et séduit au premier regard. Il n'avait du grand seigneur que les grâces. Je le retrouve tout entier dans le beau portrait de Gérard, qu'il avait légué à madame Récamier, son amie, avec la clause qu'elle me le léguerait elle-même en mourant, si je devais survivre à cette aimable et charmante femme. Elle me le légua, en effet, et je n'en ai pas encore été dépouillé par mon infortune.

Il a, dans cette image, l'air d'éternelle jeunesse qu'il avait dans ses plus beaux jours; sa physionomie le nomme. Ses cheveux, d'un blond tendre, ont gardé les inflexions du premier âge autour d'un front de vingt-cinq ans; ils jettent une ombre légère et mobile sur sa figure. Ses yeux, grands et bleus, laissent lire jusqu'au fond de son âme. Une teinte rosée relève la délicate blancheur de sa peau. Son nez est court; ses narines, bien accentuées et frémissantes, respirent la bravoure martiale des petits-fils des héros; sa bouche, parfaitement modelée, a l'élégance et les contours d'une bouche de femme; on n'y sent rien de l'enthousiasme révolutionnaire que l'abbé Sieyès lui avait inspiré. Les contours du visage sont élégants, mais fermes; on voit que l'homme serait bien mort pour une noble cause. On ne peut détacher le regard du portrait; on croit entendre sa voix douce et prévenante qui vous parle; il n'a rien à cacher; son timbre, juste et franc, sonne la sincérité avec le mot. Tel il est, tel il était. Je me figure l'entendre autant que le revoir.

III

Mathieu de Montmorency n'avait aucune ambition qui ne fût digne de son nom, de son caractère et de sa race. Excepté un rôle héroïque, il n'y avait point de rôle pour lui dans ce monde indécis. Il avait chez madame de Staël, à Coppet, deux charmes qui le retenaient: celui de madame de Staël elle-même, à laquelle il était dévoué depuis qu'il l'avait connue chez son père, M. Necker, et pendant les tempêtes de 1789; celui de madame Récamier, amie de madame de Staël et à laquelle il se consacrait avec une vertu que désavouerait l'amour, mais qui lui ressemblait trop pour être désintéressée.

Nous avons vu qu'après la Terreur il s'était résigné à la dévotion. C'était le moment où madame Récamier, à seize ans, sous le Directoire, apparaissait dans le monde comme un piége de beauté qui devait tenter tous les jeunes hommes. Mathieu de Montmorency, qui vivait alors séparé de sa femme, la vit et s'enthousiasma pour cette incomparable et énigmatique beauté d'un amour qu'il se déguisa à lui-même sous l'apparence d'une passion innocente, parce qu'elle lui semblait immatérielle. Il se la déguisa mieux encore en se la cachant sous les formes de l'amour de Dieu, amour vertueux et mystique qu'il s'efforça de communiquer à madame Récamier, pour préserver l'innocence de la femme et, à son insu, sa propre jalousie, contre les dangers du monde. Sa correspondance avec madame Récamier, que nous avons lue, laisse peu de doute à cet égard; elle laisse même une impression pénible à la franchise d'un homme de bien amoureux, elle ressemble trop à un sermon perpétuel où le prédicateur prêche plus pour lui-même que pour Dieu. Mais l'amour prend tous les masques innocemment, même celui de la vertu: c'est toujours l'amour.

IV

En 1814, Mathieu de Montmorency et son cousin le duc de Laval-Montmorency, amoureux aussi de madame Récamier, mais plus franc et moins sophistique que son cousin, saluèrent la chute de Bonaparte et le retour des Bourbons.

La duchesse d'Angoulême le choisit pour son chevalier d'honneur. Les Bourbons pardonnèrent tout à ce beau nom et à ce repentir attristé par tant de vertu. Il devint le modèle de l'aristocratie française. Ce fut alors qu'il désira me connaître, et dès qu'il me connut, sa curiosité bienveillante devint la plus honorable amitié. Il me mena quelquefois chez sa fille, devenue la femme du fils du duc de Doudeauville, et qui habitait alors la maison champêtre retirée de la vallée aux Loups, achetée, par complaisance, des dépouilles de M. de Chateaubriand. L'affection de M. de Montmorency pour moi m'y valait l'accueil le plus distingué. Je jouissais de fouler ces gazons semés autrefois par un grand homme et possédés aujourd'hui par le plus vertueux des hommes. Ces deux grandeurs m'éblouissaient; j'admirais l'une, je respectais et je chérissais l'autre.

M. de Montmorency prévoyait le jour où l'attachement de la cour, fière de l'estime universelle dont il jouissait, lui offrirait le ministère des affaires étrangères, que la considération de l'Europe l'engagerait à accepter pour être utile à la France. «Le premier acte ministériel que je signerai, ce sera la nomination de Lamartine au poste de ministre à l'étranger,» disait-il souvent à ses amis et aux miens. J'étais heureux de ma résidence à Naples. Nullement pressé d'avancement, je lui écrivais sans jamais lui parler de mon ambition. Il était devenu ministre, le congrès de Vérone l'occupait; M. de Chateaubriand, qui s'ennuyait à Londres et qui pensait déjà, de concert avec M. de Vitrole, à remplacer M. de Montmorency au ministère, parvint à se faire nommer plénipotentiaire à Vérone. Il plut à l'empereur de Russie et prémédita avec lui la guerre d'Espagne. Revenu à Paris, M. de Chateaubriand prit la place de son ami; cette ingratitude, qui avait l'air d'une perfidie, offensa toutes les âmes délicates. M. de Montmorency seul se montra impassible et crut devoir, par charité chrétienne, déguiser sa peine en feignant de ne pas sentir l'amertume que lui inspirait la conduite de M. de Chateaubriand. Étant en congé dans ce moment à Paris, j'essayai de lui en parler, mais il refusa de me répondre et je compris qu'il ne voulait pas qu'un seul mot de lui pût aggraver les torts de son ancien ami. Quelque temps après, Charles X nomma M. de Montmorency gouverneur du duc de Bordeaux, emploi qui lui convenait parfaitement, qui honorait son royalisme et qui unissait dans sa personne la fidélité aux Bourbons et la haute intelligence de la Charte.

Ce fut dans ces hautes fonctions que la mort le surprit et parut mettre le sceau à la sainteté de sa vie. Pendant la semaine sainte, étant allé entendre la messe à sa paroisse de Saint-Thomas d'Aquin, il inclina la tête à l'élévation et ne la releva plus. On s'aperçut qu'il était mort dans l'acte le plus fervent de sa piété. Ainsi finit cet homme de bien, qui ne laissa que des respects et des regrets sur cette terre. Ceux qui l'ont connu, comme moi, le regretteront et le respecteront doublement, car ses vertus et ses qualités privées dépassaient immensément ses qualités et ses vertus publiques. C'était un homme que Dieu seul pouvait juger, car il n'avait agi que pour lui.

LAMARTINE.

FIN DU CLXe ENTRETIEN.

Paris.—Typ. de Rouge frères, Dunon et Fresné, rue du Four-St-Germain, 43.

CLXI^e ENTRETIEN
CHATEAUBRIAND

I

Je vins passer l'hiver et le printemps à Paris en 1816; j'étais très-pauvre à cette époque; mon père habitait avec ma mère et cinq filles la petite terre paternelle de Milly. Je l'avais considérablement agrandie depuis; les désastres très-immérités de ma fortune (quoi qu'on en dise) m'ont forcé de la vendre à bas prix, six cent mille francs, pour payer mes créanciers.

Je revois avec tristesse, mais sans remords, en allant de Monceau, terre et résidence de mon grand-père, à Saint-Point, un joli sentier à travers les prés, qui circule dans l'étroite vallée, au bord d'une petite rivière, près d'un moulin, et qui grimpe ensuite une colline rocailleuse, plantée de vignes, jusqu'à la cour et au jardin de la chère maison.

Dans ce jardin et dans cette cour où mon âme est née, il y a plus de mes pensées et de mes rêves, éclos et enracinés dans le sol et dans le ciment rongé des murs, qu'il n'y a de brins de mousse sur les lattes de pierre brute qui tapissent les vieux toits. Mon père, ma mère, mes sœurs ont laissé plus de traces dans mes yeux, dans mes oreilles, dans mon cœur, que le vent qui court n'en laisse dans les genêts de la montagne de Milly. Oh! quand pourrai-je les revoir?

Et ceux et celles qui ont fleuri et séché après eux, où sont-ils, et dans quel monde nous attendent-ils?

II

J'avais laissé ce monde obscur et enchanté de Milly au commencement de l'hiver, et j'étais parti pour rejoindre à Paris les deux personnes que j'aimais le plus au monde. L'un était un ami, le fils du célèbre comte de Virieu, de l'Assemblée constituante de 1789.

Il revenait alors du Brésil où il avait accompagné le duc de Luxembourg dans son ambassade. Il vivait à Paris en gentilhomme élégant et spirituel, dans ce temps où la noblesse et l'élégance étaient à la fois, comme la restauration elle-même, un retour vers le passé et un élan vers l'avenir. Plus grand seigneur que moi, on lui offrait tout, il dédaignait tout. Plus modeste par situation et par nécessité, je ne m'attachais qu'à une seule personne et je vivais chez Virieu dans l'isolement et dans l'obscurité.

Mon camarade et mon ami habitait alors dans l'immense cour du vaste et splendide palais de l'ancien duc de Richelieu, entre le boulevard des Italiens et la Madeleine, la petite maison du concierge de l'hôtel qui lui rappelait à la fois la grandeur et la simplicité des maisons paternelles.

Un jeune valet de chambre, qui l'avait suivi dans son voyage du Brésil, faisait tout son service.

Virieu était lié de jeunesse et de parenté avec toute la cour: les Tourzel, les Raigecourt, les Latrémoille, la princesse de Saint-Maures, qu'on appelait précédemment princesse de Tarente, femme d'esprit et de faction, qui réunissait chez elle tous les royalistes exaltés, et à laquelle on faisait la cour avec des excès de paroles.

Je la connus plus tard, sous les auspices de mon ami; j'en fus très-favorablement reçu, comme jeune homme vierge en politique, qui faisait des vers non imprimés, mais récités, et qui rapporterait un jour quelque lointain souvenir de Racine aux descendants de Louis XIV.

Le seul défaut de Virieu, c'était de tenir un peu trop aux grands noms, qu'aimait sa mère; et, quand il pouvait dire de ces personnages: Mon cousin ou ma cousine, pour attester la même filiation princière, il se sentait plus à leur niveau. Il était de la caste des nobles enfants de l'*Œil-de-Bœuf*.

À cela près, il était extrêmement distingué. Sa figure, sans être belle, était perçante; il était impossible d'apercevoir dans un théâtre ou dans un salon cette figure de fils des preux, fière, gracieuse, accentuée, sans demander quel était ce jeune gentilhomme, et sans se souvenir de lui.

III

Il me proposa de loger chez lui, sachant que je ne venais à Paris que pour aimer et non pour briller. J'acceptai: cette proposition convenait à mes goûts de solitude et ne contrariait en rien mon dégoût du monde.

Je m'installai, avec ma malle, dans une petite chambre de son appartement, où personne ne passait, et qui communiquait avec la sienne. Je m'y enfermai avec mes pensées comme dans une cellule.

Le seul roulement des voitures pendant un carnaval bruyant faisait quelquefois tinter mes fenêtres et m'avertissait que j'étais dans une île au milieu des flots du monde, qui roulaient à mes pieds. Ce bruit ne m'inspirait aucune envie de m'y mêler. Le monde et moi nous étions deux.

C'était comme le murmure lointain du vent dans les bois, qui vous frappe l'oreille avec les bruissements des feuillages et qui vous dit: «Tu es seul, tu es mélancolique; resserre ton cœur; jouis de ta solitude et de ta tristesse, et laisse les autres jouir du bruit qu'ils font; ce qui t'attend ce soir vaut mieux que ce vain tumulte.»

IV

Quand mon ami, avant d'aller dans le monde, entrait un moment dans ma chambre pour étaler son costume devant ma cheminée, je le regardais en souriant d'une certaine pitié sans envie, et je lui disais: «Va te montrer, mais voici l'heure où, quand tu seras parti, je m'isolerai dans mon manteau; je me glisserai sans bruit le long des murailles et j'irai attendre, sur le quai du Louvre, qu'une lumière solitaire s'allume, entre deux persiennes, pour m'annoncer que le dernier visiteur est retiré du salon, et pour laisser place à l'ami inconnu qui rôde dans le voisinage, comme l'âme cherchant son corps et n'en voulant point d'autre dans la foule de ceux qui ne sont pas nés.»

V

Il sortait, et je restais seul au coin de mon feu, un livre à la main, jusqu'à ce que la cloche de Saint-Roch sonnât onze heures, et que ce même onzième coup sonnât de l'autre côté de la Seine, dans un cœur qu'il faisait transir ou frissonner.

Puis, repliant, comme un conspirateur, mon manteau sur mes yeux, je marchais rapidement vers le pavillon du milieu d'un hôtel monumental où l'on m'attendait.

Quelquefois j'arrivais un peu trop tôt, et je trouvais quelque homme ou quelque femme célèbre, achevant la conversation commencée avec la personne qui m'attirait seule, et s'étonnant de la présence de ce mélancolique jeune homme qui saluait respectueusement, mais qui mêlait rarement un mot court et convenable à l'entretien.

C'était M. Lainé, homme d'État de l'école de Cicéron; M. de Bonald, écrivain remarqué et remarquable, plus par la raison et la piété que par l'imagination et par le cœur; M. le baron Monnier, fils du président de l'Assemblée constituante, M. de Rayneval, son ami, les plus spirituels et les plus aimables des hommes; leurs deux femmes, Polonaises charmantes, qu'ils avaient épousées d'amour, à Varsovie, pendant la campagne de Pologne, et qui les aimaient comme elles en étaient aimées. Quelques autres personnes du même cercle, hommes de gouvernement, adoptés d'abord par l'empire, fidèles jusqu'à la fin, respectueux toujours, laissés sur la grève bonapartiste quand l'empire leur remit, après son abdication, leur fidélité; accueillis avec faveur par la Restauration, en 1814, et n'ayant pas cru devoir violer leurs serments parce que Bonaparte avait violé les siens en 1815.

VI

Quand ils avaient fini leur visite, ils se retiraient et je restais seul.

Quel délicieux moment! et combien les tristesses de la longue journée étaient compensées!

Nous nous étions rencontrés non par hasard, mais par attraction, il y avait un an et demi, dans les montagnes de la Savoie, divines solitudes pour commencer ou finir la vie!

L'amitié la plus naturelle était éclose entre nous. Elle était étrangère, plus âgée que moi; l'amour ne pouvait pas naître: mariée tard à un homme qui aurait été deux fois son père, l'amitié protectrice les unissait seule. Elle l'aimait à force de le respecter; elle ne lui avait jamais manqué de fidélité, mais son amitié était libre; il ne l'avait pas épousée pour la sevrer de toute douceur terrestre; régler son cœur, ce n'était pas le supprimer; il avait de l'affection involontaire pour moi; moi, pour lui, par reconnaissance et par admiration. Tels étaient nos sentiments: ils n'étaient point gênés, mais ils étaient purs. (Voyez *Raphaël*.)

VII

Quand j'avais passé une heure auprès d'elle, je la quittais, le cœur plein de délire, l'oreille tintante du timbre mélodieux de sa voix, l'âme affamée du désir du lendemain. Je rentrais en silence dans ma cellule, Virieu ne rentrait que dans la nuit. Je n'éprouvais aucun besoin de sortir; ma respiration était tout intérieure; je passais le jour à attendre le soir.

Quand la distance du matin au soir me paraissait trop longue, je prenais involontairement la plume et je lui écrivais ce que je n'aurais peut-être pas pu lui dire assez librement pendant la soirée suivante, afin que rien ne fût perdu de ce que la tendresse nous suggérait.

Ainsi coulait ma vie et je ne la sentais pas couler.

Quand elle fut morte, mon ami, qui la vit au dernier moment, me remit mes lettres. Je les gardai longtemps avec les siennes comme deux reliques qui ne formaient qu'un seul être, et un jour que je me sentis près de mourir moi-même, je pris mon grand courage et je brûlai ces deux rouleaux, qui formaient deux volumes, pour que les deux cendres ne restassent pas après nous sur cette terre, mais que nous les retrouvassions au ciel où elles allaient avant nous.

Quelquefois aussi, brûlant du désir de pouvoir rester à Paris toute l'année pour la revoir tous les soirs, je songeais, non par ambition, mais par amour, à me créer quelque emploi modeste, mais suffisant pour y vivre indépendant de ma famille.

Dieu sait à quoi je n'ai pas rêvé alors pour me procurer un appointement borné dans les derniers emplois du gouvernement! Les droits réunis, dirigés par M. de Barante; la diplomatie inférieure, influencée par M. de Saint-Aulaire, pourraient le dire; ma plume, dans l'ombre d'un bureau, avec mille écus de traitement m'auraient suffi. Tout eût été ennobli par le motif. J'aurais griffonné le jour, mais je l'aurais vue le soir; le monde m'aurait dédaigné, mais mon cœur m'aurait applaudi. Je ne fus jamais ambitieux que par amour, et j'aurais bien fait; car, de toutes les passions, une seule survit et renaît en nous jusqu'à la mort: c'est l'amour.

VIII

Je faisais donc quelquefois effort sur moi-même et trêve à ma solitude absolue pour me faire recommander tantôt à M. de Rayneval, tantôt à M. d'Hauterive, tantôt à M. de Barante, tantôt à M. de Vaublanc, et leur demander protection; ils me recevaient bien, mais en souriant de ma jeunesse et de ma figure, et me remettaient à d'autres temps. Mais ces temps n'arrivaient jamais et je m'impatientais de mon impuissance.

IX

Cet isolement cependant, en me forçant au travail, nourrissait un peu mes goûts prématurés de littérature.

De tous les hommes célèbres alors, il n'y en avait qu'un qui fût pour moi un grand homme, c'était M. de Chateaubriand.

Je sentais d'instinct que cet homme était d'une race supérieure à la mienne, et que le génie l'avait marqué au front. Je ne le comparais à aucun autre écrivain de son temps; c'était la nature qui l'avait fait ce qu'il était, et les misérables écrivains du métier, à l'exception d'un petit nombre qu'on appelait les écrivains ou les poëtes de l'empire, avaient beau s'insurger et bourdonner leur ironie contre lui comme des mouches malfaisantes, il ne daignait point les écraser de son courroux.

Le dieu poursuivait sa carrière.

Une seule chose m'avait offensé, car j'étais partial, mais j'étais juste; c'était une anecdote évidemment et sciemment calomniatrice qu'il avait insérée dans son pamphlet de guerre: *De Buonaparte et des Bourbons.*

Lancé par lui, en 1814, pour précipiter dans la boue celui qui venait de tomber du trône, il racontait, dans cette invective, que Bonaparte était allé voir le pape à Fontainebleau, et qu'il l'avait injurié et outragé de sa bouche et de ses mains en le traînant par ses cheveux blancs sur le plancher du palais. Il est permis à la colère d'aller à tous les excès, moins le mensonge. Cela m'avait laissé une mauvaise impression du caractère de M. de Chateaubriand.

J'avais pardonné cependant, quand je me rappelai que ce même écrivain, toujours pur selon lui et ses amis, avait fait la cour à l'empereur pour obtenir la place de secrétaire d'ambassade à Rome, sous le cardinal Fesch; qu'il avait ensuite été le favori de M. de Fontanes, favori lui-même de la princesse Élisa; qu'il passait son temps à Morfontaine, dans l'intimité de cette famille couronnée; qu'il avait obtenu par elle l'emploi de ministre plénipotentiaire en Valais; qu'il avait, il est vrai, donné sa démission après le meurtre du duc d'Enghien; mais que, dans sa harangue à l'Académie, peu de temps après, il avait proclamé Napoléon le nouveau Cyrus, en termes d'un poétique enthousiasme; le fond de mon cœur n'était pas sans quelque scrupule sur l'immaculée pureté du bourbonisme de M. de Chateaubriand. Mais le génie a bien des excuses pour effacer ses erreurs. Je n'y pensais plus.

X

Quand parut le *Génie du Christianisme*, j'étais au collége chez les Jésuites. Je fus ébloui, mais non convaincu. Tout jeune que j'étais, cela me fit l'effet d'un beau thème de rhétorique.

Je me vois d'ici au bord du Rhône, dans les environs de Sion-Châtel en Bugey, assis avec quelques-uns de mes camarades, dont plusieurs vivent encore, sur un gros tronc d'arbre couché à terre par les scieurs de long, aux clartés d'un beau soleil d'automne. Un jeune homme nous lisait les plus beaux morceaux du *Génie du Christianisme*; nous écoutions, ravis comme par un langage inconnu, ce merveilleux style. Il n'y a pas besoin de critique pour admirer, la nature sait tout et dit tout. Cependant je ne sais quel apprêt, tout en me charmant, me frappait.

Après un moment de silence:

—Eh bien! nous dit le lecteur, que dites-vous de ces chefs-d'œuvre?

—Que ce sont *trop de chefs-d'œuvre*, répondis-je. Ce n'est pas ainsi que la simple nature écrit et parle. Cela me fait frémir, mais cela me fait un peu souffrir; cela est grand comme le cœur humain, mais cela est de la beauté cherchée; cela sent la grande décadence, les magnifiques débris d'une vieille langue. Ni Cicéron ni Bossuet n'auraient trouvé ces beautés.

On commença par murmurer, on finit par être de mon avis.

Nous n'en restâmes pas moins amoureux de Chateaubriand: le beau est si beau que son imitation nous fascine.

Ce fut la première apparition de ce génie de la mélancolie à nos jeunesses. Nous brûlions de lire *Atala* ou *René*, qu'on ne nous avait pas laissés dans les mains.

XI

Qu'était-ce donc que ce génie inconnu qui se révélait tout à coup aux hommes? Voici ce que nous entendîmes murmurer çà et là par nos maîtres, en rentrant curieux des bords escarpés du Rhône à la ville.

C'était un jeune gentilhomme qui ne sortait d'aucune école que de celle de la mer, des forêts vierges du nouveau monde. On le disait jeune comme les prodiges qui n'ont point d'ancêtres, sauvage comme les prophètes qui ne ressortent que d'eux-mêmes et de Dieu, triste comme les immensités. Il avait paru tout à coup à son siècle, un livre à la main.

Ce livre était bien plus qu'un chef-d'œuvre, c'était un mystère; c'était bien plus encore, c'était un sentiment, une résurrection, un passé évoqué de toutes les tombes, de tous les cœurs. On ne lui demandait pas d'où il venait; mais on pleurait en le revoyant comme en revoyant une ombre.

Quel ascendant un pareil livre ne devait-il pas prendre au premier pas sur un monde renversé, bouleversé, dépouillé, égorgé, qui ne savait plus que croire, que sentir, que dire, et qui attendait une voix d'en haut pour reprendre haleine? Jamais une pareille réaction n'avait été mieux préparée ici-bas.

L'énigme de l'auteur se mêlait à l'énigme de l'ouvrage.

XII

Ce jeune homme, disait-on, était né sur les écueils de la Bretagne, au milieu des forêts et des lacs, dans un vieux château, demeure d'une vieille race.

Son père était sévère comme le temps; sa mère, tendre comme la soumission; ses sœurs, belles comme la modestie; lui, sauvage et insoumis comme la solitude.

Ils avaient été tous persécutés, emprisonnés, exilés pendant la longue Terreur. Ils étaient parents des grands proscrits du Sylla du peuple, entre autres de M. de Malesherbes qu'il rappela trop souvent pour un bon chrétien, car Malesherbes était le Socrate des philosophes.

Avant d'émigrer, Chateaubriand avait osé faire une rapide excursion en Amérique. Son imagination précoce en avait, en peu de mois, absorbé les sites, les mœurs, les noms; il en était revenu en 1790, comme s'il n'avait cherché qu'un prétexte d'écrire. Il avait émigré alors et quelque peu marché et guerroyé avec l'armée des princes.

Il s'était marié légèrement avec une de ses parentes, et avait oublié promptement ses nouveaux liens. Puis, il avait été chercher à Londres le licenciement et le subside des émigrés.

Il ne faut pas de longues résidences à ces hommes d'imagination. Quelques mois leur valent un siècle.

XIII

Il avait employé son temps à la fréquentation de quelques émigrés comme lui et à la rédaction d'une œuvre sérieuse inspirée par la Révolution française et intitulée *Essai sur les Révolutions*; c'était un tâtonnement de son génie. Il ne savait pas bien ce qu'il voulait écrire: une théorie du scepticisme où il y a de tout ce qui fermente dans la tête d'un homme; le dé jeté à la tête de tous les partis. Cela n'était ni chrétien ni impie. C'était souvent beau de forme et très-aventuré de fond. Cela pouvait servir de base à un écrivain, mais nullement à un philosophe.

À peine eut-il terminé ce livre, qu'il l'apporta à Paris et le communiqua à quelques amis de son premier temps, les uns mûris par les vicissitudes de la Révolution; les autres restés jeunes parmi tant de tombeaux. Les uns et les autres lui déconseillèrent cette publication qui allait l'engager avec les morts de la Révolution. Il fallait prendre garde: c'était un de ces moments où l'on ne s'engage pas impunément.

Bonaparte venait d'apparaître et d'hériter de tout le monde. On était las d'anarchie; il venait de rentrer d'Égypte et de tenter le 18 Brumaire à demi réussi. Son parti était composé des dégoûts de tout le monde; de là à une puissante réaction contre tous les partis il n'y avait pas loin.

La Révolution sérieuse, dont la France était incapable, devait aboutir à la monarchie; l'armée, enorgueillie de ses victoires et lasse d'attendre, allait transférer l'empire à un de ses chefs.

La France réunit toutes ses mains en une pour applaudir. Les courtisans, comme à l'ordinaire, donnèrent le signal.

Il fallait des doctrines au nouveau régime, ils les firent. C'est alors que la Providence, complice, fit signe à Chateaubriand. Il venait de rentrer. Un autre courtisan en fut l'interprète: c'était M. de Fontanes.

XIV

M. de Fontanes était un littérateur d'un talent réel et hardi. Il avait contesté aux révolutionnaires non-seulement leurs excès, mais leurs principes.

Émigré à Genève pendant la Terreur, il avait conservé de cette époque une antipathie qu'il ne cherchait point à déguiser. Lié avec André Chénier, la dernière victime de Robespierre, et avec quelques hommes alors modérés du parti thermidorien, il accueillit Chateaubriand comme un élève que l'Angleterre lui renvoyait pour le consoler de tant de pertes.

Les premières lectures qu'il entendit de l'auteur d'*Atala* lui révélèrent un monde nouveau. Il fut atterré d'enthousiasme comme Horace la première fois qu'il entendit Virgile à la table d'Auguste, après les proscriptions de Rome. Cette admiration désintéressée fait le plus grand éloge du caractère de M. de Fontanes.

Il faut être très-grand pour proclamer la grandeur d'un rival; il reconnut tout de suite, dans l'*Essai sur les Révolutions*, le germe d'un talent informe, mais magistral.

—Laissez cela, dit-il à son jeune disciple, vous portez secours au vainqueur, faites le contraire pour être juste et surtout pour être applaudi. Le monde a soif de justice; l'engouement nécessaire à toute vérité en Europe passe enfin du côté des persécutés. Allez au-devant de lui, vous serez plus vrai et surtout vous serez plus fort; la Providence vous a doué des magnificences du talent; consacrez-les aux larmes et aux dieux de la patrie; soyez le grand prêtre du passé; le monde vous attend et l'esprit nouveau se tournera vers vous comme le pieux regret qui embrasse passionnément une ombre. Vous avez ce bonheur, que les trois quarts de la France et de l'Europe vous devancent dans la voie des expiations et qu'un héros vous précède; vous ne pouvez douter que Bonaparte ne veuille s'allier à la religion tôt ou tard, pour rendre au peuple l'obéissance et pour mettre sous la sanction du Dieu des armées l'autorité dont il s'empare. Vous lui plairez donc et, s'il n'ose encore vous le dire, il vous le prouvera par ses faveurs.

XV

Chateaubriand écoutait en silence; il fut convaincu, il retira son *Essai* de chez les libraires.

Il se lia avec Fontanes, et il écrivit le *Génie du Christianisme*, préambule éloquent et passionné à la restauration religieuse. En l'écrivant, il savait assez que c'était la plus haute adulation qu'il pût adresser au restaurateur du vieux monde, qui pétrissait dans ses mains un monde nouveau.

Fontanes amena son jeune ami au futur empereur; c'était lui amener, dans un même homme, l'imagination de la jeunesse et des femmes, la religion et la pitié de la France: les trois prestiges de tout pouvoir nouveau. La figure et les manières du jeune homme plurent au futur souverain de l'empire.

Chateaubriand, que je n'ai connu que vieux, était alors dans le modeste éclat de sa jeunesse. Son front était penché comme sous une pensée méditative; ses traits étaient fins, comme ils sont restés depuis, mais nobles et francs; son expression profonde sans double entente, son œil intelligent mais sincère. Il abordait un homme quelconque de plain-pied; son tact merveilleux le plaçait juste dans l'attitude, ni trop haut ni trop bas; on voyait qu'il rendait tout ce qu'il devait rendre à son puissant interlocuteur, mais qu'il se sentait devant lui digne d'être regardé et respecté à son tour. Mais il n'y avait alors aucun orgueil déplacé dans sa physionomie. Il regardait la gloire avec assurance, en homme qui en connaissait le prix et qui savait qu'on la regarderait bientôt sur son propre front.

Il était petit de taille comme le grand homme du siècle, un peu penché sur l'épaule gauche; mais la grâce sévère du visage rachetait cette imperfection qui s'accrut avec les années.

Il parut plaire à Bonaparte, peu habitué à un coup d'œil d'égal à égal.

Telle fut sa première entrevue.

XVI

Fontanes ne s'y trompa pas.

Quels étaient les amis de France qui eurent sur lui tout d'abord une influence si directe et si heureuse?

M. de Chateaubriand avait, nous le savons, un tendre ami, Fontanes; cet ami était intimement lié avec M. Joubert; M. Joubert l'était avec madame de Beaumont, cette charmante fille de M. de Montmorin, qu'il nous a si bien fait connaître. L'initiation entre eux tous fut prompte et vive, la petite société de la Rue-Neuve-du-Luxembourg naquit à l'instant dans toute sa grâce.

Il y avait à cette époque (1800-1803) divers salons renaissants, les cercles brillants du jour, ceux de madame de Staël, de madame Récamier, de madame Joseph Bonaparte, des reines du moment, non pas toutes éphémères, quelques-unes depuis immortelles! Il y avait des cercles réguliers qui continuaient purement et simplement le dix-huitième siècle, le salon de madame Suard, le salon de madame d'Houdetot: les gens de lettres y dominaient, et les philosophes. Il allait y avoir un salon unique qui ressaisirait la fine fleur de l'ancien grand monde revenu de l'émigration, le salon de la princesse de Poix; si aristocratique qu'il fût, c'était pourtant le plus simple, le plus naturel à beaucoup près de tous ceux que j'ai nommés: on y revenait à la simplicité de ton par l'extrême bon goût. Mais le petit salon de madame de Beaumont, à peine éclairé, nullement célèbre, fréquenté seulement de cinq ou six fidèles qui s'y réunissaient chaque soir, offrait tout alors: c'était la jeunesse, la liberté, le mouvement, l'esprit nouveau, comprenant le passé et le réconciliant avec l'avenir.

Tandis que le jeune écrivain travaillait courageusement à corriger son œuvre sous l'œil de ses amis, il débuta dans la publicité en brisant une lance, assez peu courtoise, il faut le dire, contre madame de Staël, que la célébrité lui désignait comme sa grande rivale du moment.

M. de Fontanes, dans des articles du *Mercure* qui avaient fait éclat, avait critiqué et raillé l'ouvrage de madame de Staël sur la *Littérature*. Celle-ci crut devoir, en tête de la seconde édition de son ouvrage, répondre quelques mots à cette critique légère et cavalière qui prétendait trancher toute la question de la perfectibilité par les vers du *Mondain*. M. de Chateaubriand s'imagina qu'il était généreux à lui de venir au secours de Fontanes, lequel n'avait guère besoin d'aide, et aurait eu besoin plutôt de modérateur: dans une Lettre écrite à son ami, mais destinée au public, et qui fut en effet imprimée dans le *Mercure*, il prit à partie la doctrine de la *perfectibilité* en se déclarant hautement l'adversaire de la philosophie. Sa Lettre était signée l'*Auteur du Génie du Christianisme*.

Ce dernier ouvrage, très-annoncé à l'avance, était déjà connu sous ce titre avant de paraître. J'ai regret de le dire, mais l'homme de parti se montre à chaque ligne dans cette Lettre.

Nous n'avons plus affaire à ce jeune et sincère désabusé qui a écrit l'*Essai* en toute rêverie et en toute indépendance, y disant des vérités à tout le monde et à lui-même, et ne se tenant inféodé à aucune cause: ici il se pose, il a un but, et le rôle est commencé.

«Néophyte à cette époque, a-t-on dit spirituellement, il avait quelques-unes des faiblesses des néophytes, et s'il existait quelque chose qu'on pût appeler la fatuité religieuse, l'idée en viendrait, je l'avoue, en lisant ces lignes de sa critique: «Vous n'ignorez pas que ma folie à moi est de voir Jésus-Christ partout, comme madame de Staël la perfectibilité... Vous savez ce que les philosophes nous reprochent *à nous autres gens religieux*, ils disent que nous n'avons pas la tête forte... On m'appellera *Capucin*, mais vous savez que Diderot aimait fort les Capucins...»

Il parle à tout propos de sa *solitude*; il se donne encore pour *solitaire* et même pour *sauvage*, mais on sent qu'il ne l'est plus. Il y a même des passages qu'on relit par deux fois, tant ils semblent singuliers à force de personnalité blessante et de maligne insinuation, de la part d'un chevalier, d'un preux s'adressant à une femme.

«En amour, disait-il ironiquement, madame de Staël a commenté *Phèdre*: ses observations sont fines, et l'on voit par la leçon du scoliaste qu'il a parfaitement entendu son texte...»

Faut-il ajouter, pour aggraver le tort, qu'à cette époque madame de Staël commençait à encourir la défaveur ou du moins le déplaisir marqué de celui qui devenait le maître?

Fontanes, *l'homme aux habiles pressentiments*, pouvait deviner ces choses et n'en pas moins pousser sa pointe: il avait ses éperons à gagner, a-t-on dit, contre la nouvelle Clorinde; et d'ailleurs, sans chercher tant d'explications, il suivait son instinct de critique en même temps que d'homme du monde, très-décidé à n'aimer les femmes que quand elles étaient moins viriles que cela. Mais il n'était pas de la générosité de M. de Chateaubriand de mettre la main en cette affaire et de se tourner du premier jour contre celle que la célébrité n'allait pas garantir de la persécution. Enfin il fut homme de parti, c'est tout dire.

Dans la Préface d'*Atala* qui parut peu après cette Lettre d'attaque, l'auteur consignait à la fin une sorte de rétractation, mais dont les termes mêmes laissent à désirer.

XVII

Ce fut l'époque où M. de Fontanes, ami de la princesse Élisa, l'introduisit dans la familiarité intime de toute la maison Bonaparte à la ville et à la campagne. Et il fut évidemment le commensal et l'ami de tous ces jeunes hommes et de toutes ces jeunes femmes que visitait le premier consul. Sa répugnance n'était pas née.

On y lisait les premières pages d'*Atala* et de *René* et le beau chapitre de l'*Essai sur les Révolutions*, intitulé: AUX INFORTUNES.

«Je m'imagine que les malheureux qui lisent ce chapitre le parcourent avec cette avidité inquiète que j'ai souvent portée moi-même dans la lecture des moralistes, à l'article des misères humaines, croyant y trouver quelque soulagement. Je m'imagine encore que, trompés comme moi, ils me disent: Vous ne nous apprenez rien; vous ne nous donnez aucun moyen d'adoucir nos peines; au contraire, vous prouvez trop qu'il n'en existe point. Ô mes compagnons d'infortune! votre reproche est juste: je voudrais pouvoir sécher vos larmes, mais il vous faut implorer le secours d'une main plus puissante que celle des hommes. Cependant ne vous laissez point abattre; on trouve encore quelques douceurs parmi beaucoup de calamités. Essayerai-je de montrer le parti qu'on peut tirer de la condition la plus misérable? Peut-être en recueillerez-vous plus de profit que de toute l'enflure d'un discours stoïque.»

XVIII

Ce chapitre est le plus beau du livre. Jean-Jacques Rousseau ne le dépasse pas.

Il poursuit:

«Cependant la nuit approche; le bruit commence à cesser au dehors, et le cœur palpite d'avance du plaisir qu'on s'est préparé. Un livre qu'*on a eu bien de la peine à se procurer*, un livre qu'*on tire précieusement du lieu obscur où on l'avait caché*, va remplir ces heures de silence. Auprès d'un humble feu et d'une lumière vacillante, certain de n'être point entendu, on s'attendrit sur les maux imaginaires des Clarisse, des Clémentine, des Héloïse, des Cécilia. Les romans sont les livres des malheureux: ils nous nourrissent d'illusions, il est vrai; mais en sont-ils plus remplis que la vie?»

Ces femmes de grande race étaient ravies. Chateaubriand était le Racine futur de leur société. L'adulation qu'il y respirait le préparait mal à la haine.

Une lettre qu'il reçut à peu près à cette époque de madame de Farcy, sa sœur, lui annonça la mort de sa mère.

Elle mourut mécontente de son fils et dans l'abandon.

La lettre était cruelle:

«Mon ami, nous venons de perdre la meilleure des mères: je t'annonce à regret ce coup funeste... Quand tu cesseras d'être l'objet de nos sollicitudes, nous aurons cessé de vivre. *Si tu savais combien de pleurs tes erreurs ont fait répandre à notre respectable mère*, combien elles paraissent déplorables à tout ce qui pense et fait profession non-seulement de piété, mais de raison; si tu le savais, peut-être cela contribuerait-il à t'ouvrir les yeux, à te faire renoncer à écrire; et si le ciel touché de nos vœux permettait notre réunion, tu trouverais au milieu de nous tout le bonheur qu'on peut goûter sur la terre; tu nous donnerais ce bonheur, car il n'en est point pour nous, tandis que tu nous manques et que nous avons lieu d'être inquiets sur ton sort.»

XIX

Cette lettre l'attendrit; il crut y entendre une voix du ciel. Par quelle bouche Dieu parlerait-il au fils si ce n'est par celle de sa mère morte? Il revint à Dieu, et, malgré un scepticisme quelquefois renaissant, il essaya de persévérer.

C'est dans ces dispositions qu'il se résolut d'écrire et de faire paraître *Atala*, en attendant le *Génie du Christianisme*, qu'il achevait.

«Je ne sais, disait-il, si le public goûtera cette histoire qui sort de toutes les routes connues, et qui présente une nature et des mœurs tout à fait étrangères à l'Europe. Il n'y a point d'aventures dans *Atala*. C'est une sorte de poëme, moitié descriptif, moitié dramatique: tout consiste dans la peinture de deux amants qui marchent et causent dans la solitude; tout gît dans le tableau des troubles de l'amour au milieu du calme des déserts et du calme de la religion. J'ai donné à ce petit ouvrage les formes les plus antiques; il est divisé en *Prologue*, *Récit* et *Épilogue*. Les principales parties du récit prennent une dénomination, comme *les Chasseurs*, *les Laboureurs*, etc; c'était ainsi que, dans les premiers siècles de la Grèce, les Rhapsodes chantaient sous divers titres les fragments de *l'Iliade* et de *l'Odyssée*.

«Je dirai encore, écrivait M. de Chateaubriand dans sa Préface d'*Atala*, je dirai que mon but n'a pas été d'arracher beaucoup de larmes; il me semble que c'est une dangereuse erreur avancée, comme tant d'autres, par M. de Voltaire, que *les bons ouvrages sont ceux qui font le plus pleurer*. Il y a tel drame dont personne ne voudrait être l'auteur, et qui déchire le cœur bien autrement que *l'Enéide*. On n'est point un grand écrivain parce qu'on met l'âme à la torture. Les vraies larmes sont celles que fait couler une belle poésie; il faut qu'il s'y mêle autant d'admiration que de douleur.» C'est Priam disant à Achille: «Juge de l'excès de mon malheur, puisque je baise la main qui a tué mes fils.» C'est Joseph s'écriant: «Je suis Joseph votre frère que vous avez vendu pour l'Égypte.» Voilà les seules larmes qui doivent mouiller les cordes de la lyre et en attendrir les sons. Les Muses sont des femmes célestes qui ne défigurent point leurs traits par des grimaces; quand elles pleurent, c'est avec un secret dessein de s'embellir.»

XX

Silent terræ, le monde se tut d'étonnement et d'admiration en lisant.

Un seul homme était capable de comprendre et de sentir: il avait fait mieux; c'était un vieillard, Bernardin de Saint-Pierre!

Chactas commence son récit: Il est bien vieux, il a soixante-treize ans:

«À la prochaine lune des fleurs, il y aura sept fois dix neiges, et trois neiges de plus, que ma mère me mit au monde sur les bords du Meschacebé.»

Il raconte à René la grande aventure de sa jeunesse, quand il ne comptait encore que *dix-sept chutes de feuilles*. Son père, le guerrier Outalissi, de la nation des Natchez alliée aux Espagnols, l'a emmené à la guerre contre les Muscogulges, autre nation puissante des Florides. Son père a succombé dans le combat, et lui, resté sans protecteur à la ville de Saint-Augustin, il courait risque d'être enlevé pour les mines de Mexico, lorsqu'un vieil Espagnol, Lopez, s'intéresse à lui, l'adopte et essaye de l'apprivoiser à la vie civilisée. Mais après avoir passé *trente lunes* à Saint-Augustin, Chactas fut saisi du dégoût de la vie des cités:

«Je dépérissais à vue d'œil: tantôt je demeurais immobile pendant des heures à contempler la cime des lointaines forêts; tantôt on me trouvait assis au bord d'un fleuve que je regardais tristement couler. Je me peignais les bois à travers lesquels cette onde avait passé, et mon âme était tout entière à la solitude.»

Un matin, il revêt ses habits de sauvage et va se présenter à Lopez, l'arc et les flèches à la main, en déclarant qu'il veut reprendre sa vie de chasseur. Il part, s'égare dans les bois, est pris par un parti de Muscogulges et de Siminoles; il confesse hardiment, et avec la bravade propre aux Sauvages, son origine et sa nation:

«Je m'appelle Chactas, fils d'Outalissi, fils de Miscou, qui ont enlevé plus de cent chevelures aux héros muscogulges.»

Le chef ennemi Simaghan lui dit:

«Chactas, fils d'Outalissi, fils de Miscou, réjouis-toi; tu seras brûlé au grand village.»

«Tout prisonnier que j'étais, je ne pouvais, durant les premiers jours, m'empêcher d'admirer mes ennemis. Le Muscogulge, et surtout son allié le Siminole, respire la gaieté, l'amour, le contentement. Sa démarche est légère, son abord ouvert et serein, il parle beaucoup et avec volubilité; son langage est harmonieux et facile. L'âge même ne peut ravir aux Sachems cette simplicité joyeuse: comme les vieux oiseaux de nos bois, ils mêlent encore leurs vieilles chansons aux airs nouveaux de leur jeune postérité.

«Les femmes qui accompagnaient la troupe témoignaient pour ma jeunesse une piété tendre et une curiosité aimable. Elles me questionnaient sur ma mère, sur les premiers jours de ma vie; elles voulaient savoir si l'on suspendait mon berceau de mousse aux branches fleuries des érables, si les brises m'y balançaient auprès du nid des petits oiseaux. C'étaient ensuite mille autres questions sur l'état de mon cœur: elles me demandaient si j'avais vu une biche blanche dans mes songes, et si les arbres de la vallée secrète m'avaient conseillé d'aimer.»

Cependant Atala apparaît pour la première fois à Chactas:

«Une nuit que les Muscogulges avaient placé leur camp sur le bord d'une forêt, j'étais assis auprès du *feu de la guerre* avec le chasseur commis à ma garde. Tout à coup j'entendis le murmure d'un vêtement sur l'herbe, et une femme à demi voilée vint s'asseoir à mes côtés. Des pleurs roulaient sous sa paupière; à la lueur du feu un petit crucifix d'or brillait sur son sein. Elle était régulièrement belle; l'on remarquait sur son visage je ne sais quoi de vertueux et de passionné dont l'attrait était irrésistible. Elle joignait à cela des grâces plus tendres; une extrême sensibilité, unie à une mélancolie profonde, respirait dans ses regards....»

XXI

On arrive au grand village d'Atala, la veille de la mort du prisonnier. Les deux amants errent ensemble dans la forêt vierge. Ils ont le pressentiment de l'amour et du bonheur.

Chactas s'extasie:

«Pompe nuptiale, digne de nos malheurs et de la grandeur de nos amours: superbes Forêts qui agitiez vos lianes et vos dômes comme les rideaux et le ciel de notre couche; Pins embrasés qui formiez les flambeaux de notre hymen; Fleuve débordé; Montagnes mugissantes, affreuse et sublime Nature, n'étiez-vous donc qu'un appareil préparé pour nous tromper, et ne pûtes-vous cacher un moment dans vos mystérieuses horreurs la félicité d'un homme!»

Mais Atala est secrètement chrétienne et vierge sur un vœu de sa mère. Elle s'empoisonne de peur de faillir.

«Le cœur, ô Chactas! est comme ces sortes d'arbres qui ne donnent leur baume pour les blessures des hommes, que lorsque le fer les a blessés eux-mêmes.»

Et encore, pour exprimer qu'il n'est point de cœur mortel qui n'ait au fond sa plaie cachée:

«Le cœur le plus serein en apparence ressemble au puits naturel de la savane Alachua: la surface en paraît calme et pure; mais, quand vous regardez au fond du bassin, vous apercevez un large crocodile, que le puits nourrit dans ses eaux.»

Les funérailles d'Atala sont d'une rare beauté et d'une expression idéale.

XXII

L'épilogue couronne dignement le poëme: c'est l'auteur lui-même, Chateaubriand, qui reprend la parole et qui raconte la suite de la destinée des personnages survivants (le père Aubry, Chactas), telle qu'il l'a apprise dans ses voyages aux terres lointaines. Il y a bien encore quelque trace de manière:

«Quand un Siminole me raconta cette histoire (transmise de Chactas à René, et des pères aux enfants), je la trouvai fort instructive et parfaitement belle, parce qu'il y mit la *fleur du désert*, la *grâce de la cabane*, et une simplicité à conter la douleur que je ne me flatte pas d'avoir conservée.»

Ce ton-ci, en effet, est bien moins de la simplicité que de la simplesse. Mais à côté se trouve le touchant tableau de la jeune mère indienne ensevelissant et berçant son enfant mort parmi les branches d'un érable.

Le discours du père Aubry à Atala et à Chactas est célèbre. Combien de fois quelques-unes de ces paroles ont été répétées depuis sans qu'on se rappelât bien d'où elles étaient tirées!

«L'habitant de la cabane et celui des palais, tout souffre, tout gémit ici-bas; les reines ont été vues pleurant comme de simples femmes, et l'on s'est étonné de la quantité de larmes que contiennent les yeux des rois!»

«Est-ce votre amour que vous regrettez? Ma fille, il faudrait autant pleurer un songe. Connaissez-vous le cœur de l'homme, et pourriez-vous compter les inconstances de son désir? Vous calculeriez plutôt le nombre des vagues que la mer roule dans une tempête.»

M. Joubert, un de ses amis de ce temps, écrivait confidentiellement à madame de Beaumont, son idole:

«Il y a un charme, un talisman que tient un doigt de l'ouvrier. Il l'aura mis partout, parce qu'il a tout manié.»

C'était vrai: l'amour avait tout consacré dans ce premier livre de Chateaubriand. Il éclata comme la foudre du désert; il ne dura pas autant que *Paul et Virginie*, qui dure encore et qui durera toujours. Ce n'était que le chef-d'œuvre de l'art, Virginie était le chef-d'œuvre de la nature. Cependant, c'est encore avec *René*, la plus belle apparition du génie après la Révolution.

XXIII

Les critiques sont comme les mouches qui s'attachent sur les raisins cueillis dans le panier de la vendange, parce qu'ils sont parfumés et sucrés. Ils se jetèrent sur *Atala*.

On ne les écouta pas.

Les artistes furent plus désintéressés:

Girodet peignit son immortel tableau, les *Funérailles d'Atala*, multiplié par la gravure.

Atala, inerte et la tête appuyée sur quelques fleurs, est portée dans la grotte qui va lui servir de tombeau. Le vieux prêtre, le père Aubry, marche comme un vieillard expérimenté de la mort. L'amant les accompagne, stupéfié par la douleur. Il partira après la sépulture. Il laisse son âme dans le suaire d'Atala.

XXIV

M. de Sainte-Beuve parle avec un juste dédain de ces critiques de l'abbé Morellet et de Marie-Joseph Chénier.

«La même rencontre, dit-il, la même méprise se reproduit presque toutes les fois qu'un homme de génie apparaît en littérature. Il se trouve toujours sur son chemin, à son entrée, quelques hommes de bon esprit d'ailleurs et de sens, mais d'un esprit difficile, négatif, qui le prennent par ses défauts, qui essayent de se mesurer avec lui avec toutes sortes de raisons dont quelques unes peuvent être fort bonnes et même solides. Et pourtant ils sont battus, ils sont jetés de côté et à la renverse: d'où vient cela? c'est qu'ils ont affaire à un *Génie.*

«Ils ne s'en doutaient pas, et c'est par là qu'ils sont battus. La première supériorité du critique est de reconnaître l'avénement d'une puissance, la venue d'un Génie.

«Jeffrey n'a pas compris Byron. Fontanes a compris Chateaubriand, et n'a pas compris Lamartine.»

Je dirais bien pourquoi M. de Fontanes me fut contraire:

Premièrement il écrivait en vers, et moi aussi, de là une involontaire rivalité.

Secondement, il avait été lié avant moi avec la personne que j'idolâtrais. Il dut le savoir et en conserva quelque amertume. Je ne le connus jamais. Cependant j'obtins un jour un billet de faveur pour une séance de l'Institut, où il devait réciter des vers en l'honneur de Chateaubriand.

FIN DU CLXI[e] ENTRETIEN.

Paris.—Typ. de Rouge frères, Dunon et Fresné, rue du Four-St-Germain, 43.

CLXII^e ENTRETIEN
CHATEAUBRIAND
(SUITE.)

XXV

Je vis un gros homme, carré comme un Limousin, se lever et réciter d'une voix universitaire les strophes suivantes:

Le Tasse errant de ville en ville,
Un jour accablé de ses maux,
S'assit près du laurier fertile
Qui, sur la tombe de Virgile,
Étend toujours ses verts rameaux.

En contemplant l'urne sacrée,
Ses yeux de larmes sont couverts;
Et là d'une voix éplorée,
Il raconte à l'Ombre adorée
Les longs tourments qu'il a soufferts.

Il veut fuir l'ingrate Ausonie;
Des talents il maudit le don,
Quand touché des pleurs du génie,
Devant le chantre d'Herminie
Paraît le chantre de Didon:

«Eh quoi! dit-il, tu fis Armide
Et tu peux accuser ton sort!
Souviens-toi que le Méonide,
Notre modèle et notre guide,
Ne devint grand qu'après sa mort.

«L'infortune, en sa coupe amère,
L'abreuva d'affronts et de pleurs;
Et quelque jour un autre Homère
Doit, au fond d'une île étrangère,
Mourir aveugle et sans honneurs,

«Plus heureux, je passai ma vie
Près d'Horace et de Varius;
Pollion, Auguste et Livie
Me protégeaient contre l'envie,
Et faisaient taire Mévius.

«Mais Énée aux champs de Laurente
Attendait mes derniers tableaux,
Quand près de moi la mort errante
Vint glacer ma main expirante
Et fit échapper mes pinceaux.

«De l'indigence et du naufrage
Camoëns connut les tourments;
Naguère les Nymphes du Tage,
Sur leur mélodieux rivage,
Ont redit ses gémissements.

«Ainsi les maîtres de la lyre
Partout exhalent leurs chagrins;
Vivants, la haine les déchire,
Et ces dieux que la terre admire
Ont peu compté de jours sereins.

«Longtemps la gloire fugitive
Semble tromper leur noble orgueil;
La gloire enfin pour eux arrive,
Et toujours sa palme tardive
Croît plus belle au pied d'un cercueil.

«Torquato, d'asile en asile,
L'envie ose en vain t'outrager;
Enfant des muses, sois tranquille,
Ton Renaud vivra comme Achille:
L'arrêt du temps doit te venger.

«Le bruit confus de la cabale
À tes pieds va bientôt mourir;
Bientôt à moi-même on t'égale,
Et pour la pompe triomphale
Le Capitole va s'ouvrir.»

—Virgile a dit. Ô doux présage!
À peine il rentre en son tombeau,
Et le vieux laurier qui l'ombrage,
Trois fois inclinant son feuillage,
Refleurit plus fier et plus beau.

Les derniers mots que l'Ombre achève
Du Tasse ont calmé les regrets:
Plein de courage il se relève,
Et tenant sa lyre et son glaive,
Du destin brave tous les traits.

Chateaubriand, le sort du Tasse
Doit t'instruire et te consoler;
Trop heureux qui, suivant sa trace,
Au prix de la même disgrâce,
Dans l'avenir peut t'égaler!

Contre toi, du peuple critique,
Que peut l'injuste opinion?
Tu retrouvas la Muse antique
Sous la poussière poétique
Et de Solime et d'Ilion.

Bien que très-sensible à l'harmonie des vers, cette généreuse déclamation de M. de Fontanes ne m'émut pas, le poëte ressemblait trop à un homme d'État. Il n'y avait en lui du poëte que la pompe, aucune grâce. La délicatesse est le symptôme de l'esprit.

On applaudit, mais faiblement. Les vers étaient purs, l'intention honorable, mais Fontanes avait perdu sa popularité par l'enthousiasme déplacé qu'il manifestait en toute occasion pour les Bourbons restaurés, oubliant trop vite qu'il avait saturé d'encens Bonaparte. La décence est la vertu des changements de scènes politiques.

XXVI

Bonaparte avait calculé si juste avec les amis de Chateaubriand que le *Génie du Christianisme* parut le soir même du jour où les autels publics furent réinstallés par lui, au milieu d'une pompe militaire, à Notre-Dame. C'était le commentaire de l'acte. César se faisait chrétien.

On ne peut contester à cet homme d'avoir merveilleusement présumé de la légèreté de la nation.

Le retour au sentiment religieux par la liberté était moins populaire, mais plus réellement pieux. Le sentiment sincère lui importait moins que l'apparence; c'était le souverain des solennités.

Le livre de Chateaubriand était une solennité aussi, la solennité du génie d'apparat. Il avait pour but d'enchanter, non de convaincre. Il enchanta en effet, il ne convertit que l'imagination des hommes. Mais son succès à cet égard fut enivrant.

Jamais, depuis Jean-Jacques Rousseau, le style indépendant du sujet n'avait produit une ivresse si universelle. Ce fut, sous un nouveau Constantin, la renaissance d'un nouveau christianisme: le christianisme de l'armée.

Les éditions se multiplièrent comme les étoiles après une longue nuit.

«Allez aux cérémonies de nos Pères et croyez ce qui vous paraîtra le plus poétique.»

C'était toute sa morale; l'empire l'adopta; Chateaubriand en devint le grand prêtre. Ces pages reluisent, non de foi, mais d'images. Ce n'était pas fort, mais prestigieux.

Nous ne l'avons plus relu depuis nos années d'espérance. Nous n'aurions pas retrouvé nos enchantements.

Il faisait dans sa préface appel au pouvoir protecteur par la flatterie.

«Je pense que tout homme qui peut espérer quelques lecteurs rend un service à la société en tâchant de rallier les esprits à la cause religieuse; et dût-il perdre sa réputation comme écrivain, il est obligé en conscience de joindre sa force, toute petite qu'elle est, à celle de cet homme puissant qui nous a retirés de l'abîme.

«Celui, dit M. Lally-Tollendal, à qui toute force a été donnée pour pacifier le monde, à qui tout pouvoir a été confié pour restaurer la France, a dit au Prince des Prêtres, comme autrefois Cyrus: *Jéhovah, le Dieu du ciel, m'a livré les royaumes de la terre, et il m'a commis pour relever son temple. Allez, montez sur la montagne sainte de Jérusalem, rebâtissez le temple de Jéhovah.*

«À cet ordre du libérateur, tous les Juifs, et jusqu'au moindre d'entre eux, doivent rassembler des matériaux pour hâter la reconstruction de l'édifice. Obscur Israélite, j'apporte aujourd'hui mon grain de sable.»

XXVII

Qu'il y a loin de cet encens à ce méphitisme du pamphlet de 1814, où il dit de Bonaparte:

«Bonaparte n'est qu'un faux grand homme. Enfant de notre Révolution, il a des ressemblances frappantes avec sa mère: intempérance de langage, *goût de la basse littérature, passion d'écrire dans les journaux*. Sous le masque de César et d'Alexandre, on aperçoit l'homme de peu, et l'enfant de petite famille.»

Quoi qu'il en soit, Bonaparte ce jour-là, pour son coup d'essai, n'eût pas si mauvais goût en littérature en faisant préconiser dans son journal officiel l'œuvre de Chateaubriand.

Croyez après cela à la véracité des jugements de parti!

XXVIII

Fontanes entendit Bonaparte et écrivit dans son sens de belles pages dans le *Moniteur*.

«Cet ouvrage, longtemps attendu, écrivait Fontanes, et commencé dans des jours d'oppression et de douleur, paraît quand tous les maux se réparent, et quand toutes les persécutions finissent. Il ne pouvait être publié dans des circonstances plus favorables. C'était à l'époque où la tyrannie renversait tous les monuments religieux, c'était au bruit de tous les blasphèmes et, pour ainsi dire, en présence de l'athéisme triomphant, que l'auteur se plaidait à retracer les augustes souvenirs de la religion. Celui qui, dans ce temps-là, sur les ruines des temples du christianisme, en rappelait l'ancienne gloire, eût-il pu deviner qu'à peine arrivé au terme de son travail, il verrait se rouvrir ces mêmes temples sous les auspices d'un grand homme? La prédiction d'un tel événement eût excité la rage ou le mépris de ceux qui gouvernaient alors la France, et qui se vantaient d'anéantir par leurs lois les croyances religieuses que la nature et l'habitude ont si profondément gravées dans les cœurs. Mais, en dépit de toutes les menaces et de toutes les injures, l'opinion préparait ce retour salutaire, et secondait les pensées du génie qui veut reconstruire l'édifice social. Quand la morale effrayée déplorait la perle du culte et des dogmes antiques, déjà leur rétablissement était médité par la plus haute sagesse. Le nouvel orateur du christianisme va retrouver tout ce qu'il regrettait. Du fond de la solitude où son imagination s'était réfugiée, il entendait naguère la chute de nos autels: il peut assister maintenant à leurs solennités renouvelées. La religion, dont la majesté s'est accrue par ses souffrances, revient d'un long exil dans ses sanctuaires déserts, au milieu de la victoire et de la paix dont elle affermit l'ouvrage. Toutes les consolations l'accompagnent, les haines et les douleurs s'apaisent à sa présence. Les vœux qu'elle formait, depuis douze cents ans, pour la prospérité de cet empire, seront encore entendus, et son autorité confirmera les nouvelles grandeurs de la France, au nom du Dieu qui, chez toutes les nations, est le premier auteur de tout pouvoir, le plus sûr appui de la morale, et par conséquent le seul gage de la félicité publique.

«Parmi tant de spectacles extraordinaires qui ont, depuis quelques années, épuisé la surprise et l'admiration, il n'en est point d'aussi grand que ce dernier. La tâche du vainqueur était achevée; on attendait encore l'œuvre du législateur. Tous les yeux étaient éblouis, tous les cœurs n'étaient pas rassurés; mais, grâce à la pacification des troubles religieux qui va ramener la confiance universelle, le législateur et le vainqueur brillent aujourd'hui du même éclat.

«Ainsi donc l'historien Raynal avait grand tort de s'écrier, il y a moins de trente ans, d'un ton si prophétique: «Il est passé le temps de la fondation, de la destruction et du renouvellement des empires! Il ne se trouvera plus, l'homme devant qui la terre se taisait! On combat aujourd'hui avec la foudre pour la prise de quelques villes; on combattait autrefois avec l'épée pour détruire et fonder des royaumes. L'histoire des peuples modernes est sèche et petite, sans que les peuples soient plus heureux.»

«Avant la fin du siècle, il a pourtant paru cet homme dont la force sait détruire, et dont la sagesse sait fonder! Les grands événements dont il est le moteur, le centre et l'objet, semblent si peu conformes aux combinaisons vulgaires, qu'on ne devrait point s'étonner que des imaginations fortement religieuses crussent de semblables desseins dirigés par des conseils supérieurs à ceux des hommes.

«Plutarque, dans un de ses traités philosophiques, examine si la fortune ou la vertu firent l'élévation d'Alexandre; et voici, à peu près, comme il raisonne et décide la question:

«J'aperçois, dit-il, un jeune homme qui exécute les plus grandes choses par un instinct irrésistible, et toutefois avec une raison suivie. Il a soumis, à l'âge de trente ans, les peuples les plus belliqueux de l'Europe et de l'Asie. Ses lois le font aimer de ceux qu'ont subjugués ses armes. Je conclus qu'un bonheur aussi constant n'est point l'effet de cette puissance aveugle et capricieuse qu'on appelle la fortune: Alexandre dut ses succès à son génie et à la faveur signalée des dieux. Ou, si vous voulez, ajoute encore Plutarque, que la Fortune ait seule accumulé tant de gloire sur la tête d'un homme, alors je dirai comme le poëte Alcman, que *la Fortune est fille de la Providence.*»

«On voit par ces paroles combien étaient religieux tous ces graves esprits de l'antiquité. L'action de la Providence leur paraissait marquée dans tous les mouvements des empires, et surtout dans l'âme des héros. «*Tout ce qui domine et excelle en quelque chose*, disait un autre de leurs sages, *est d'origine céleste.*»

«On accueillera donc avec un intérêt universel le jeune écrivain qui ose rétablir l'autorité des ancêtres et les traditions des âges. Son entreprise doit plaire à tous et n'alarmer personne; car il s'occupe encore plus d'attacher l'âme que de forcer la conviction. Il cherche les tableaux sublimes plus que les raisonnements victorieux; il sent et ne dispute pas; il veut unir tous les cœurs par le charme des mêmes émotions, et non séparer les esprits par des controverses interminables: en un mot, on dirait que le premier livre offert en hommage à la Religion renaissante fut inspiré par cet esprit de paix qui vient de rapprocher toutes les consciences.»

En parlant ainsi, il caractérisait l'ouvrage tel qu'il l'avait autrefois conseillé à son ami, mais non pas tel tout à fait que celui-ci l'avait exécuté en bien des points: l'esprit de douceur et de paix n'y respirait pas avant tout, et il y avait plus d'éclat que d'onction.

L'ouvrage se compose de quatre parties, divisées elles-mêmes en livres:

La première partie traite des *Dogmes et de la doctrine*;

La seconde développe la *Poétique du Christianisme*;

La troisième continue l'examen des *Beaux-Arts et de la Littérature* dans leur rapport avec la Religion;

La quatrième traite du *Culte*, c'est-à-dire de tout ce qui concerne les cérémonies de l'Église et de tout ce qui regarde le Clergé séculier et régulier.

La première et la dernière partie se divisent chacune en six livres; la deuxième et la troisième, qui se tiennent, formaient aussi six livres chacune, dans le premier plan, lorsque *Atala* et *René*, que l'auteur en a depuis détachés, y étaient compris.

L'ordonnance extérieure du monument a donc une certaine régularité, une symétrie satisfaisante à l'œil. S'il y a à dire, c'est plutôt à l'esprit d'unité intérieure et à l'enchaînement des idées.

Dans son premier chapitre, l'auteur définit très-bien le genre d'apologie qu'il entreprend. L'Église, dans sa longue carrière, a subi diverses sortes de persécutions et essuyé bien des guerres: dans les siècles de sa formation, sous Julien, «elle fut exposée à une persécution du caractère le plus dangereux. On n'employa pas la violence contre les chrétiens, mais on leur prodigua le mépris. On commença par dépouiller les autels; on défendit ensuite aux fidèles d'enseigner et d'étudier les Lettres... Les sophistes dont Julien était environné se déchaînèrent contre le christianisme.» Dans les temps modernes, au lendemain de Bossuet, «tandis que l'Église triomphait encore, déjà Voltaire faisait renaître la persécution de Julien. Il eut l'art funeste, chez un peuple capricieux et aimable, de rendre l'incrédulité à la mode. Il enrôla tous les amours-propres dans cette ligue insensée; la religion fut attaquée avec toutes les armes, depuis le pamphlet jusqu'à l'in-folio, depuis l'épigramme jusqu'au sophisme..... Ainsi cette fatalité, qui avait fait triompher les sophistes sous Julien, se déclara pour eux dans notre siècle. Les défenseurs des chrétiens tombèrent dans une faute qui les avait déjà perdus: ils ne s'aperçurent pas qu'il ne s'agissait plus de discuter tel ou tel dogme, puisqu'on rejetait absolument les bases... Il fallait prendre la route contraire.

XXIX

Son ami, M. Joubert, écrivait ses conseils à sa confidente, madame de Beaumont.

«Qu'il ne prouve pas, qu'il enchante; qu'il file la soie de son sein, qu'il pétrisse son miel, qu'il chante son propre ramage, il a son arbre; qu'a-t-il besoin de citations et de ressources étrangères?»

Chateaubriand l'écouta trop tard et revint à ses magiques descriptions.

Lisez la description du rossignol et celle du nid de bouvreuil dans un rosier.

«Lorsque les premiers silences de la nuit et les derniers murmures du jour luttent sur les coteaux, au bord des fleuves, dans les bois et dans les vallées; lorsque les forêts se taisent par degrés, que pas une feuille, pas une mousse ne soupire, que la lune est dans le ciel, que l'oreille de l'homme est attentive, le premier chantre de la création entonne ses hymnes à l'Éternel. D'abord il frappe l'écho des brillants éclats du plaisir: le désordre est dans ses chants, il saute du grave à l'aigu, du doux au fort; il fait des pauses, il est lent, il est vif: c'est un cœur que la joie enivre, un cœur qui palpite sous le poids de l'amour. Mais tout à coup la voix tombe, l'oiseau se tait. Il recommence! Que ses accents sont changés! Quelle tendre mélodie! Tantôt ce sont des modulations languissantes, quoique variées; tantôt c'est un air un peu monotone, comme celui de ces vieilles romances françaises, chefs-d'œuvre de simplicité et de mélancolie. Le chant est aussi souvent la marque de la tristesse que de la joie: l'oiseau qui a perdu ses petits chante encore; c'est encore l'air du temps du bonheur qu'il redit, car il n'en sait qu'un; mais, par un coup de son art, le musicien n'a fait que changer la clef, et la cantate du plaisir est devenue la complainte de la douleur.»

«Il ressemblait à une conque de nacre, contenant quatre perles bleues: une rose pendait au-dessus, tout humide: le bouvreuil mâle se tenait immobile sur un arbuste voisin, comme une fleur, de pourpre et d'azur. Ces objets étaient répétés dans l'eau d'un étang avec l'ombrage d'un noyer, qui servait de fond à la scène et derrière lequel on voyait se lever l'aurore. Dieu nous donna, dans ce petit tableau, une idée des grâces dont il a paré la nature.

«Ce n'est pas toujours en troupes que ces oiseaux visitent nos demeures: quelquefois deux beaux étrangers, aussi blancs que la neige, arrivent avec les frimas: ils descendent, au milieu des bruyères, dans un lieu découvert, et dont on ne peut approcher sans être aperçu; après quelques heures de repos, ils remontent sur les nuages. Vous courez à l'endroit d'où ils sont partis, et vous n'y trouvez que quelques plumes, seules marques de leur passage, que le vent a déjà dispersées: heureux le favori des Muses qui, comme le cygne, a quitté la terre sans y laisser d'autres débris et d'autres souvenirs que quelques plumes de ses ailes!»

XXX

C'est ainsi que, de descriptions en descriptions magnifiques, l'auteur arrive à la fin de son livre où la poésie occupe plus d'espace que la religion, et dont le vrai titre serait le *Christianisme poétique*. Mais le temps voulait cela.

Il s'agissait de charmer et de ramener le cœur. On le ramène par les larmes et non par la logique. La France fut et resta émue. Le christianisme resta vainqueur par l'admiration.

Il voulut mettre le comble à son attendrissement en donnant comme complément *René*, le *Werther* de ce Gœthe français. Il y réussit mille fois plus encore. Il s'agissait du vague des passions. Le christianisme s'associait divinement à la cure, et, sous un voile transparent qui laissait conjecturer une passion doublement immorale, il donnait une page suspecte de ses Mémoires personnels, purifiée par la douleur et par la religion. Ce fut le sceau de cet admirable livre.

On avait résisté à l'écrivain, on ne résista plus à l'amant.

Il prit dans ce second roman une situation étrange et mystérieuse qui donna d'avance à Byron le secret de *Lara*.

La curiosité est aussi une passion de l'esprit; mais, quand on y joint une passion du cœur, alors on emporte tout. Le lecteur devient complice de l'auteur.

Il commence par rappeler *Atala* en la surpassant dans son récit.

«En arrivant chez les Natchez, René avait été obligé de prendre une épouse pour se conformer aux mœurs des Indiens; mais il ne vivait point avec elle. Un penchant mélancolique l'entraînait au fond des bois; il y passait seul des journées entières, et semblait sauvage parmi des Sauvages. Hors Chactas, son père adoptif, et le père Souël, missionnaire au fort Rosalie, il avait renoncé au commerce des hommes. Ces deux vieillards avaient pris beaucoup d'empire sur son cœur: le premier, par une indulgence aimable; l'autre, au contraire, par une extrême sévérité. Depuis la chasse du castor, où le Sachem aveugle raconta ses aventures à René, celui-ci n'avait jamais voulu parler des siennes. Cependant Chactas et le missionnaire désiraient vivement connaître par quel malheur un Européen bien né avait été conduit à l'étrange résolution de s'ensevelir dans les déserts de la Louisiane. René avait toujours donné pour motif de ses refus le peu d'intérêt de son histoire, qui se bornait, disait-il, à celle de ses pensées et de ses sentiments. «Quant à l'événement qui m'a déterminé à passer en Amérique, ajoutait-il, je le dois ensevelir dans un éternel oubli.»

«Quelques années s'écoulèrent de la sorte, sans que les deux vieillards lui pussent arracher son secret. Une lettre qu'il reçut d'Europe, par le bureau des Missions étrangères, redoubla tellement sa tristesse, qu'il fuyait jusqu'à ses vieux amis. Ils n'en furent que plus ardents à le presser de leur ouvrir son cœur; ils y mirent tant de discrétion, de douceur et d'autorité, qu'il fut enfin obligé de les satisfaire. Il prit donc jour avec eux pour leur raconter, non les aventures de sa vie, puisqu'il n'en avait point éprouvé, mais les sentiments secrets de son âme.

«Le 21 de ce mois que les Sauvages appellent *la lune des fleurs*, René se rendit à la cabane de Chactas. Il donna le bras au Sachem, et le conduisit sous un sassafras, au bord du Meschacebé. Le père Souël ne tarda pas à arriver au rendez-vous. L'aurore se levait: à quelque distance dans la plaine, on apercevait le village des Natchez, avec son bocage de mûriers, et ses cabanes qui ressemblent à des ruches d'abeilles. La colonie française et le fort Rosalie se montraient sur la droite, au bord du fleuve. Des tentes, des maisons à moitié bâties, des forteresses commencées, des défrichements couverts de Nègres, des groupes de Blancs et d'indiens, présentaient, dans ce petit espace, le contraste des mœurs sociales et des mœurs sauvages. Vers l'orient, au fond de la perspective, le soleil commençait à paraître entre les sommets brisés des Apalaches, qui se dessinaient comme des caractères d'azur dans les hauteurs dorées du ciel; à l'occident, le Meschacebé roulait ses ondes dans un silence magnifique, et formait la bordure du tableau avec une inconcevable grandeur.

«Le jeune homme et le missionnaire admirèrent quelque temps cette belle scène, en plaignant le Sachem qui ne pouvait plus en jouir; ensuite le père Souël et Chactas s'assirent sur le gazon, au pied de l'arbre; René prit sa place au milieu d'eux, et, après un moment de silence, il parla de la sorte à ses vieux amis.

«Je ne puis, en commençant mon récit, me défendre d'un mouvement de honte. La paix de vos cœurs, respectables vieillards, et le calme de la nature autour de moi, me font rougir du trouble et de l'agitation de mon âme.

«Combien vous aurez pitié de moi! Que mes éternelles inquiétudes vous paraîtront misérables! Vous qui avez épuisé tous les chagrins de la vie, que penserez-vous d'un jeune homme sans force et sans vertu, qui trouve en lui-même son tourment, et ne peut guère se plaindre que des maux qu'il se fait à lui-même? Hélas, ne le condamnez pas; il a été trop puni!

«J'ai coûté la vie à ma mère en venant au monde; j'ai été tiré de son sein avec le fer. J'avais un frère que mon père bénit, parce qu'il voyait en lui son fils aîné. Pour moi, livré de bonne heure à des mains étrangères, je fus élevé loin du toit paternel.

«Mon humeur était impétueuse, mon caractère inégal. Tour à tour bruyant et joyeux, silencieux et triste, je rassemblais autour de moi mes jeunes compagnons; puis, les abandonnant tout à coup, j'allais m'asseoir à l'écart, pour contempler la nue fugitive, ou entendre la pluie tomber sur le feuillage.

«Chaque automne, je revenais au château paternel, situé au milieu des forêts, près d'un lac dans une province reculée.

«Timide et contraint devant mon père, je ne trouvais l'aise et le contentement qu'auprès de ma sœur Amélie. Une douce conformité d'humeur et de goûts m'unissait étroitement à cette sœur; elle était un peu plus âgée que moi. Nous aimions à gravir les coteaux ensemble, à voguer sur le lac, à parcourir les bois à la chute des feuilles: promenades dont le souvenir remplit encore mon âme de délices. Ô illusions de l'enfance et de la patrie, ne perdez-vous jamais vos douceurs!

«Tantôt nous marchions en silence, prêtant l'oreille au sourd mugissement de l'automne, ou au bruit des feuilles séchées que nous traînions tristement sous nos pas; tantôt, dans nos jeux innocents, nous poursuivions l'hirondelle dans la prairie, l'arc-en-ciel sur les collines pluvieuses; quelquefois aussi nous murmurions des vers que nous inspirait le spectacle de la nature. Jeune, je cultivais les muses; il n'y a rien de plus poétique, dans la fraîcheur de ses passions, qu'un cœur de seize années. Le matin de la vie est comme le matin du jour, plein de pureté, d'images et d'harmonies.

«Les dimanches et les jours de fête, j'ai souvent entendu dans le grand bois, à travers les arbres, les sons de la cloche lointaine qui appelait au temple l'homme des champs. Appuyé contre le tronc d'un ormeau, j'écoutais en silence le pieux murmure. Chaque frémissement de l'airain portait à mon âme naïve l'innocence des mœurs champêtres, le calme de la solitude, le charme de la religion, et la délectable mélancolie des souvenirs de ma première enfance. Oh! quel cœur si mal fait n'a tressailli au bruit des cloches de son lieu natal, de ces cloches qui frémirent de joie sur son berceau, qui annoncèrent son avénement à la vie, qui marquèrent le premier battement de son cœur, qui publièrent dans tous les lieux d'alentour la sainte allégresse de son père, les douleurs et les joies encore plus ineffables de sa mère! Tout se trouve dans les rêveries enchantées où nous plonge le bruit de la cloche natale: religion, famille, patrie, et le berceau et la tombe, et le passé et l'avenir.

«Il est vrai qu'Amélie et moi nous jouissions plus que personne de ces idées graves et tendres, car nous avions tous les deux un peu de tristesse au fond du cœur: nous tenions cela de Dieu ou de notre mère.

«Cependant mon père fut atteint d'une maladie qui le conduisit en peu de jours au tombeau. Il expira dans mes bras. J'appris à connaître la mort sur les lèvres de celui qui m'avait donné la vie. Cette impression fut grande; elle dure encore. C'est la première fois que l'immortalité de l'âme s'est présentée clairement à mes yeux. Je ne pus croire que ce corps inanimé était en moi l'auteur de la pensée; je sentis qu'elle me devait venir d'une autre source; et, dans une sainte douleur qui approchait de la joie, j'espérai me rejoindre un jour à l'esprit de mon père.

«Un autre phénomène me confirma dans cette haute idée. Les traits paternels avaient pris au cercueil quelque chose de sublime. Pourquoi cet étonnant mystère ne serait-il pas l'indice de notre immortalité? Pourquoi la mort, qui sait tout, n'aurait-elle pas gravé sur le front de sa victime les secrets d'un autre univers? Pourquoi n'y aurait-il pas dans la tombe quelque grande vision de l'éternité?

«Amélie, accablée de douleur, était retirée au fond d'une tour, d'où elle entendit retentir, sous les voûtes du château gothique, le chant des prêtres du convoi et les sons de la cloche funèbre.

«J'accompagnai mon père à son dernier asile; la terre se referma sur sa dépouille; l'éternité et l'oubli le pressèrent de tout leur poids: le soir même l'indifférent passait sur sa tombe; hors pour sa fille et pour son fils, c'était déjà comme s'il n'avait jamais été.

«Il fallut quitter le toit paternel, devenu l'héritage de mon frère: je me retirai avec Amélie chez de vieux parents.

«Arrêté à l'entrée des voies trompeuses de la vie, je les considérais l'une après l'autre sans m'y oser engager. Amélie m'entretenait souvent du bonheur de la vie religieuse; elle me disait que j'étais le seul lien qui la retînt dans le monde, et ses yeux s'attachaient sur moi avec tristesse.

«Le cœur ému par ces conversations pieuses, je portais souvent mes pas vers un monastère voisin de mon nouveau séjour; un moment même j'eus la tentation d'y cacher ma vie. Heureux ceux qui ont fini leur voyage sans avoir quitté le port, et qui n'ont point, comme moi, traîné d'inutiles jours sur la terre!

«Les Européens, incessamment agités, sont obligés de se bâtir des solitudes. Plus notre cœur est tumultueux et bruyant, plus le calme et le silence nous attirent. Ces hospices de mon pays, ouverts aux malheureux et aux faibles, sont souvent cachés dans des vallons qui portent au cœur le vague sentiment de l'infortune et l'espérance d'un abri; quelquefois aussi on les découvre sur de hauts sites où l'âme religieuse, comme une plante des montagnes, semble s'élever vers le ciel pour lui offrir ses parfums.

«Je vois encore le mélange majestueux des eaux et des bois de cette antique abbaye où je pensai dérober ma vie aux caprices du sort; j'erre encore au déclin du jour dans ces cloîtres retentissants et solitaires. Lorsque la lune éclairait à demi les piliers des arcades, et dessinait leur ombre sur le mur opposé, je m'arrêtais à contempler la croix qui marquait le champ de la mort, et les longues herbes qui croissaient entre les pierres des tombes. Ô hommes qui, ayant vécu loin du monde, avez passé du silence de la vie au silence de la mort, de quel dégoût de la terre vos tombeaux ne remplissaient-ils point mon cœur!

«Soit inconstance naturelle, soit préjugé contre la vie monastique, je changeai mes desseins; je me résolus à voyager. Je dis adieu à ma sœur; elle me serra dans ses bras avec un mouvement qui ressemblait à de la joie, comme si elle eût été heureuse de me quitter; je ne pus me défendre d'une réflexion amère sur l'inconséquence des amitiés humaines.»

XXXI

René parcourt la terre en voyageur. Bientôt dégoûté de tout, il revient, il tente de revoir sa sœur, il ne peut y parvenir. Il cherche alors le repos de son âme dans la pauvreté et dans la solitude.

«Je me trouvai alors plus isolé dans ma patrie que je ne l'avais été sur une terre étrangère. Je me jetai dans le monde, un monde qui ne m'entendait pas. Ce n'était pas un langage élevé, ni un sentiment profond qu'on demandait de moi; je n'étais occupé qu'à rapetisser ma vie pour la mettre au niveau de la société. Traité partout d'esprit romanesque, honteux du rôle que je jouais, dégoûté de plus en plus des choses et des hommes, je pris le parti de me retirer dans un faubourg pour y vivre totalement ignoré.

«Je trouvai d'abord assez de plaisir dans cette vie obscure et indépendante. Inconnu, je me mêlais à la foule: vaste désert d'hommes!

«Souvent assis dans une église peu fréquentée, je passais des heures entières en méditation. Je voyais de pauvres femmes venir se prosterner devant le Très-Haut, ou des pécheurs s'agenouiller au tribunal de la pénitence. Nul ne sortait de ces lieux sans un visage plus serein, et les sourdes clameurs qu'on entendait au dehors semblaient être les flots des passions et les orages du monde, qui venaient expirer au pied du temple du Seigneur. Grand Dieu, qui vis en secret couler mes larmes dans ces retraites sacrées, tu sais combien de fois je me jetai à tes pieds, pour te supplier de me décharger du poids de l'existence, ou de changer en moi le vieil homme! Ah! qui n'a senti quelquefois le besoin de se régénérer, de se rajeunir aux eaux du torrent, de retremper son âme à la fontaine de vie? Qui ne se trouve quelquefois accablé du fardeau de sa propre corruption, et incapable de rien faire de grand, de noble, de juste?

«Quand le soir était venu, reprenant le chemin de ma retraite, je m'arrêtais sur les ponts pour voir se coucher le soleil. L'astre, enflammant les vapeurs de la cité, semblait osciller lentement dans un fluide d'or, comme le pendule de l'horloge des siècles. Je me retirais ensuite avec la nuit, à travers un labyrinthe de rues solitaires. En regardant les lumières qui brillaient dans la demeure des hommes, je me transportais par la pensée au milieu des scènes de douleur et de joie qu'elles éclairaient, et je songeais que, sous tant de toits habités, je n'avais pas un ami. Au milieu de mes réflexions, l'heure venait frapper à coups mesurés dans la tour de la cathédrale gothique; elle allait se répétant sur tous les tons et à toutes les distances d'église en église. Hélas! chaque heure dans la société ouvre un tombeau, et fait couler des larmes.

«Cette vie, qui m'avait d'abord enchanté, ne tarda pas à me devenir insupportable. Je me fatiguai de la répétition des mêmes scènes et des mêmes idées. Je me mis à sonder mon cœur, à me demander ce que je désirais. Je ne le savais pas; mais je crus tout à coup que les bois me seraient délicieux. Me voilà soudain résolu d'achever, dans un exil champêtre, une carrière à peine commencée, et dans laquelle j'avais déjà dévoré des siècles.

«J'embrassai ce projet avec l'ardeur que je mets à tous mes desseins; je partis précipitamment pour m'ensevelir dans une chaumière, comme j'étais parti autrefois pour faire le tour du monde.

«On m'accuse d'avoir des goûts inconstants, de ne pouvoir jouir longtemps de la même chimère, d'être la proie d'une imagination qui se hâte d'arriver au fond de mes plaisirs, comme si elle était accablée de leur durée; on m'accuse de passer toujours le but que je puis atteindre: hélas! je cherche seulement un bien inconnu dont l'instinct me poursuit. Est-ce ma faute, si je trouve partout des bornes, si ce qui est fini n'a pour moi aucune valeur? Cependant je sens que j'aime la monotonie des sentiments de la vie, et si j'avais encore la folie de croire au bonheur, je le chercherais dans l'habitude.

«La solitude absolue, le spectacle de la nature me plongèrent bientôt dans un état presque impossible à décrire. Sans parents, sans amis, pour ainsi dire, sur la terre, n'ayant point encore aimé, j'étais accablé d'une surabondance de vie. Quelquefois je rougissais subitement, et je sentais couler dans mon cœur comme des ruisseaux d'une lave ardente; quelquefois je poussais des cris involontaires, et la nuit était également troublée de mes songes et de mes veilles. Il me manquait quelque chose pour remplir l'abîme de mon existence: je descendais dans la vallée, je m'élevais sur la montagne, appelant de toute la force de mes désirs l'idéal objet d'une flamme future; je l'embrassais dans les vents; je croyais l'entendre dans les gémissements du fleuve; tout était ce fantôme imaginaire, et les astres dans les deux, et le principe même de vie dans l'univers.

«Toutefois cet état de calme et de trouble, d'indigence et de richesse, n'était pas sans quelques charmes: un jour je m'étais amusé à effeuiller une branche de saule sur un ruisseau, et à attacher une idée à chaque feuille que le courant entraînait. Un roi qui craint de perdre sa couronne par une révolution subite, ne ressent pas des angoisses plus vives que les miennes, à chaque accident qui menaçait les débris de mon rameau. Ô faiblesse des mortels! Ô enfance du cœur humain qui ne vieillit jamais! Voilà donc à quel degré de puérilité notre superbe raison peut descendre! Et encore est-il vrai que bien des boni des hommes attachent leur destinée à des choses d'aussi peu de valeur que mes feuilles de saule.

«Mais comment exprimer cette foule de sensations fugitives que j'éprouvais dans mes promenades? Les sons que rendent les passions dans le vide d'un cœur solitaire ressemblent au murmure que les vents et les eaux font entendre dans le silence d'un désert: on en jouit, mais on ne peut les peindre.

«L'automne me surprit au milieu des incertitudes: j'entrai avec ravissement dans les mois des tempêtes. Tantôt j'aurais voulu être un de ces guerriers errant au milieu des vents, des nuages et des fantômes; tantôt j'enviais jusqu'au sort du pâtre que je voyais réchauffer ses mains à l'humble feu de broussailles qu'il avait allumé au coin d'un bois. J'écoutais ses chants mélancoliques, qui me rappelaient que dans tout pays, le chant naturel de l'homme est triste, lors même qu'il exprime le bonheur. Notre cœur est un instrument incomplet, une lyre où il manque des cordes, et où nous sommes forcés de rendre les accents de la joie sur le ton consacré aux soupirs.

«Le jour, je m'égarais sur de grandes bruyères terminées par des forêts. Qu'il fallait peu de choses à ma rêverie! une feuille séchée que le vent chassait devant moi, une cabane dont la fumée s'élevait dans la cime dépouillée des arbres, la mousse qui tremblait au souffle du nord sur le tronc d'un chêne, une roche écartée, un étang désert où le jonc flétri murmurait! Le clocher solitaire s'élevant au loin dans la vallée a souvent attiré mes regards; souvent j'ai suivi des yeux les oiseaux de passage qui volaient au-dessus de ma tête. Je me figurais les bords ignorés, les climats lointains où ils se rendent; j'aurais voulu être sur leurs ailes. Un secret instinct me tourmentait; je sentais que je n'étais moi-même qu'un voyageur; mais une voix du ciel semblait me dire: «Homme, la saison de ta migration n'est pas encore venue; attends que le vent de la mort se lève, alors tu déploieras ton vol vers ces régions inconnues que ton cœur demande.»

«Levez-vous vite, orages désirés, qui devez emporter René dans les espaces d'une autre vie! Ainsi disant, je marchais à grands pas, le visage enflammé, le vent sifflant dans ma chevelure, ne sentant ni pluie, ni frimas, enchanté, tourmenté, et comme possédé par le démon de mon cœur.

«La nuit, lorsque l'aquilon ébranlait ma chaumière, que les pluies tombaient en torrent sur mon toit, qu'à travers ma fenêtre je voyais la lune sillonner les nuages amoncelés comme un pâle vaisseau qui laboure les vagues, il me semblait que la vie redoublait au fond de mon cœur, que j'aurais eu la puissance de créer des mondes. Ah! si j'avais pu faire partager à une autre les transports que j'éprouvais! Ô Dieu! si tu m'avais donné une femme selon mes désirs; si, comme à notre premier père, tu m'eusses amené par la main une Ève tirée de moi-même..... Beauté céleste! je me serais prosterné devant toi; puis, te prenant dans mes bras, j'aurais prié l'Éternel de te donner le reste de ma vie.

«Hélas! j'étais seul, seul sur la terre! Une langueur secrète s'emparait de mon corps. Ce dégoût de la vie que j'avais ressenti dès mon enfance revenait avec une force nouvelle. Bientôt mon cœur ne fournit plus d'aliment à ma pensée, et je ne m'apercevais de mon existence que par un profond sentiment d'ennui.

«Je luttai quelque temps contre mon mal, mais avec indifférence et sans avoir la ferme résolution de le vaincre. Enfin, ne pouvant trouver de remède à cette étrange blessure de mon cœur qui n'était nulle part et qui était partout, je résolus de quitter la vie.

«Prêtre du Très-Haut, qui m'entendez, pardonnez à un malheureux que le ciel avait presque privé de la raison. J'étais plein de religion, et je raisonnais en impie; mon cœur aimait Dieu, et mon esprit le méconnaissait; ma conduite, mes discours, mes sentiments, mes pensées n'étaient que contradiction, ténèbres, mensonges. Mais l'homme sait-il bien toujours ce qu'il veut, est-il toujours sûr de ce qu'il pense?

«Tout m'échappait à la fois, l'amitié, le monde, la retraite. J'avais essayé de tout, et tout m'avait été fatal. Repoussé par la société, abandonné d'Amélie, quand la solitude vint à me manquer, que me restait-il? C'était la dernière planche sur laquelle j'avais espéré me sauver, et je la sentais encore s'enfoncer dans l'abîme!

«Décidé que j'étais à me débarrasser du poids de la vie, je résolus de mettre toute ma raison dans cet acte insensé. Rien ne me pressait; je ne fixai point le moment du départ, afin de savourer à longs traits les derniers moments de l'existence, et de recueillir toutes mes forces, à l'exemple d'un ancien, pour sentir mon âme s'échapper.

«Cependant je crus nécessaire de prendre des arrangements concernant ma fortune, et je fus obligé d'écrire à Amélie. Il m'échappa quelques plaintes sur son oubli, et je laissai sans doute percer l'attendrissement qui surmontait peu à peu mon cœur. Je m'imaginais pourtant avoir bien dissimulé mon secret; mais ma sœur, accoutumée à lire dans les replis de mon âme, le devina sans peine. Elle fut alarmée du ton de contrainte qui régnait dans ma lettre, et de mes questions sur des affaires dont je ne m'étais jamais occupé. Au lieu de me répondre, elle me vint tout à coup surprendre.

«Pour bien sentir quelle dut être dans la suite l'amertume de ma douleur, et quels furent mes premiers transports en revoyant Amélie, il faut vous figurer que c'était la seule personne au monde que j'eusse aimée, que tous mes sentiments se venaient confondre en elle, avec la douceur des souvenirs de mon enfance. Je reçus donc Amélie dans une sorte d'extase de cour. Il y avait si longtemps que je n'avais trouvé quelqu'un qui m'entendit, et devant qui je pusse ouvrir mon âme!

«Amélie, se jetant dans mes bras, me dit: «Ingrat, tu veux mourir, et ta sœur existe! Tu soupçonnes son cœur! Ne t'explique point, ne t'excuse point, je sais tout; j'ai tout compris, comme si j'avais été avec toi. Est-ce moi que l'on trompe, moi, qui ai vu naître tes premiers sentiments? Voilà ton malheureux caractère, tes dégoûts, tes injustices. Jure, tandis que je te presse sur mon cœur, jure que c'est la dernière fois que tu te livreras à tes folies; fais le serment de ne jamais attenter à tes jours.»

«En prononçant ces mots, Amélie me regardait avec compassion et tendresse, et couvrait mon front de ses baisers; c'était presqu'une mère, c'était quelque chose de plus tendre. Hélas! mon cœur se rouvrit à toutes les joies; comme un enfant, je ne demandais qu'à être consolé; je cédai à l'empire d'Amélie; elle exigea un serment solennel; je le fis sans hésiter, ne soupçonnant même pas que désormais je pusse être malheureux.

«Nous fûmes plus d'un mois à nous accoutumer à l'enchantement d'être ensemble. Quand le matin, au lieu de me trouver seul, j'entendais la voix de ma sœur, j'éprouvais un tressaillement de joie et de bonheur. Amélie avait reçu de la nature quelque chose de divin; son âme avait les mêmes grâces innocentes que son corps; la douceur de ses sentiments était infinie; il n'y avait rien que de suave et d'un peu rêveur dans son esprit; on eût dit que son cœur, sa pensée et sa voix soupiraient comme de concert; elle tenait de la femme la timidité et l'amour, et de l'ange la pureté et la mélodie.

«Le moment était venu où j'allais expier toutes mes inconséquences. Dans mon délire j'avais été jusqu'à désirer d'éprouver un malheur, pour avoir du moins un objet réel de souffrance: épouvantable souhait que Dieu, dans sa colère, a trop exaucé!

«Que vais-je vous révéler, ô mes amis! voyez les pleurs qui coulent de mes yeux. Puis-je même... Il y a quelques jours, rien n'aurait pu m'arracher ce secret... À présent tout est fini.

«Toutefois, ô vieillards! que cette histoire soit à jamais ensevelie dans le silence: souvenez-vous qu'elle n'a été racontée que sous l'arbre du désert!

«L'hiver finissait, lorsque je m'aperçus qu'Amélie perdait le repos et la santé qu'elle commençait à me rendre. Elle maigrissait; ses yeux se creusaient, sa démarche était languissante, et sa voix troublée. Un jour, je la surpris tout en larmes au pied d'un crucifix. Le monde, la solitude, mon absence, ma présence, la nuit, le jour, tout l'alarmait. D'involontaires soupirs venaient expirer sur ses lèvres; tantôt elle soutenait, sans se fatiguer, une longue course; tantôt elle se traînait à peine; elle prenait et laissait son ouvrage, ouvrait un livre sans pouvoir lire, commençait une phrase qu'elle n'achevait pas, fondait tout à coup en pleurs, et se retirait pour prier.

«En vain je cherchais à découvrir son secret. Quand je l'interrogeais, en la pressant dans mes bras, elle me répondait avec un sourire, qu'elle était comme moi, qu'elle ne savait pas ce qu'elle avait.»

XXXII

Un matin il trouva une lettre d'Amélie sur son lit. C'est un éternel adieu. Elle lui déclare sa résolution bien arrêtée de se consacrer à Dieu dans un couvent.

Il lui écrit à Brest, il court l'y chercher s'il en est temps encore. Il voit en passant le château vendu de son père.

«Mon père ne l'habitait plus; j'arrivai au château par la longue avenue de sapins; je traversai les cours désertes; je m'arrêtai à regarder les fenêtres fermées ou demi-brisées; le chardon qui croissait au pied des murs, les feuilles qui jonchaient le seuil des portes, et ce perron solitaire où j'avais vu si souvent mon père et ses fidèles serviteurs. Les marches étaient déjà couvertes de mousse; le violier jaune croissait entre leurs pierres déjointes et tremblantes. Un gardien inconnu m'ouvrit brusquement les portes. J'hésitais à franchir le seuil; cet homme s'écria: «Hé bien! allez-vous faire comme cette étrangère qui vint ici il y a quelques jours? Quand ce fut pour entrer, elle s'évanouit, et je fus obligé de la reporter à sa voiture.» Il me fut aisé de reconnaître l'*étrangère* qui, comme moi, était venue chercher dans ces lieux des pleurs et des souvenirs!

«Couvrant un moment mes yeux de mon mouchoir, j'entrai sous le toit de mes ancêtres. Je parcourus les appartements sonores où l'on n'entendait que le bruit de mes pas. Les chambres étaient à peine éclairées par la faible lumière qui pénétrait entre les volets fermés; je visitai celle où ma mère avait perdu la vie en me mettant au monde, celle où se retirait mon père, celle où j'avais dormi dans mon berceau, celle enfin où l'amitié avait reçu mes premiers vœux dans le sein d'une sœur. Partout les salles étaient détendues, et l'araignée filait sa toile dans les couches abandonnées. Je sortis précipitamment de ces lieux, je m'en éloignai à grands pas, sans oser tourner la tête. Qu'ils sont doux, mais qu'ils sont rapides, les moments que les frères et les sœurs passent dans leurs jeunes années, réunis sous l'aile de leurs vieux parents! La famille de l'homme n'est que d'un jour; le souffle de Dieu la disperse comme une fumée. À peine le fils connaît-il le père, le père le fils, le frère la sœur, la sœur le frère! Le chêne voit germer ses glands autour de lui; il n'en est pas ainsi des enfants des hommes!

«En arrivant à B..., je me fis conduire au couvent, je demandai à parler à ma sœur. On me dit qu'elle ne recevait personne. Je lui écrivis; elle me répondit que, sur le point de se consacrer à Dieu, il ne lui était pas permis de donner une pensée au monde; que, si je l'aimais, j'éviterais de l'accabler de ma douleur. Elle ajoutait: «Cependant, si votre projet est de paraître à l'autel le jour de ma profession, daignez m'y servir de père; ce rôle est le seul digne de votre courage, le seul qui convienne à notre amitié et à mon repos.»

«Cette froide fermeté, qu'on opposait à l'ardeur de mon amitié me jeta dans de violents transports. Tantôt j'étais près de retourner sur mes pas, tantôt je voulais rester, uniquement pour troubler le sacrifice. L'enfer me suscitait jusqu'à la pensée de me poignarder dans l'église et de mêler mes derniers soupirs aux vœux qui m'arrachaient ma sœur. La supérieure du couvent me fit prévenir qu'on avait préparé un banc dans le sanctuaire, et elle m'invitait à me rendre à la cérémonie, qui devait avoir lieu dès le lendemain.

«Au lever de l'aube, j'entendis le premier son des cloches... Vers dix heures, dans une sorte d'agonie, je me traînai au monastère. Rien ne peut plus être tragique quand on a assisté à un pareil spectacle; rien ne peut plus être douloureux quand on y a survécu.

«Un peuple immense remplissait l'église. On me conduit au banc du sanctuaire, je me précipite à genoux sans presque savoir où j'étais ni à quoi j'étais résolu. Déjà le prêtre attendait à l'autel: tout à coup la grille mystérieuse s'ouvre et Amélie s'avance, parée de toutes les pompes du monde. Elle était si belle, il y avait sur son visage quelque chose de si divin, qu'elle excita un mouvement de surprise et d'admiration. Vaincu par la glorieuse douleur de la sainte, abattu par les grandeurs de la religion, tous mes projets de violence s'évanouirent, ma force m'abandonna, je me sentis lié par une main toute-puissante, et, au lieu de blasphèmes et de menaces, je ne trouvai dans mon cœur que de profondes adorations et les gémissements de l'humilité.

«Amélie se place sous un dais. Le sacrifice commence à la lueur des flambeaux, au milieu des fleurs et des parfums, qui devaient rendre l'holocauste agréable. À l'offertoire, le prêtre se dépouilla de ses ornements, ne conserva qu'une tunique de lin, monta en chaire, et, dans un discours simple et pathétique, peignit le bonheur de la vierge qui se consacre au Seigneur. Quand il prononça ces mots: «Elle a paru comme l'encens qui se consume dans le feu,» un grand calme et des odeurs célestes semblèrent se répandre dans l'auditoire; on se sentit comme à l'abri sous les ailes de la colombe mystique, et l'on eût cru voir les anges descendre sur l'autel et remonter vers les cieux avec des parfums et des couronnes.

«Le prêtre achève son discours, reprend ses vêtements, continue le sacrifice. Amélie, soutenue de deux jeunes religieuses, se met à genoux sur la dernière marche de l'autel. On vient alors me chercher, pour remplir les fonctions paternelles. Au bruit de mes pas chancelants dans le sanctuaire, Amélie est prête à défaillir. On me place à côté du prêtre, pour lui présenter les ciseaux. En ce moment, je sens renaître mes transports; ma fureur va éclater, quand Amélie, rappelant son courage, me lance un regard où il y a tant de reproche et de douleur, que j'en suis atterré. La religion triomphe. Ma sœur profite de mon trouble; elle avance hardiment la tête. Sa superbe chevelure tombe de toutes parts sous le fer sacré, une longue robe d'étamine remplace pour elle les ornements du siècle, sans la rendre moins touchante; les ennuis de son front se cachent sous un bandeau de lin, et le voile mystérieux, double symbole de la virginité et de la religion, accompagne sa tête dépouillée. Jamais elle n'avait paru si belle. L'œil de la pénitente était attaché sur la poussière du monde, et son âme était dans le ciel.

«Cependant Amélie n'avait point encore prononcé ses vœux; et pour mourir au monde, il fallait qu'elle passât à travers le tombeau. Ma sœur se couche sur le marbre, on étend sur elle un drap mortuaire, quatre flambeaux en marquent les quatre coins. Le prêtre, l'étole au cou, le livre à la main, commence l'Office des morts; de jeunes vierges le continuent. Ô joies de la religion, que vous êtes grandes, mais que vous êtes terribles! On m'avait contraint de me placer à genoux, près de ce lugubre appareil. Tout à coup un murmure confus sort de dessous le voile sépulcral; je m'incline, et ces paroles épouvantables (que je fus seul à entendre) viennent frapper mon oreille: «Dieu de miséricorde, fais que je ne me relève jamais de cette couche funèbre et comble de tes biens un frère qui n'a point partagé ma criminelle passion!»

«À ces mots, échappés du cercueil, l'affreuse vérité m'éclaire, ma raison s'égare, je me laisse tomber sur le linceul de la mort, je presse ma sœur dans mes bras, je m'écrie: «Chaste épouse de Jésus-Christ, reçois mes derniers embrassements à travers les glaces du trépas et les profondeurs de l'éternité, qui te séparent déjà de ton frère!»

«Ce mouvement, ce cri, ces larmes troublent la cérémonie: le prêtre s'interrompt, les religieuses ferment la grille, la foule s'agite et se presse vers l'autel; on m'emporte sans connaissance. Que je sus peu de gré à ceux qui me rappelèrent au jour! J'appris, en rouvrant les yeux, que le sacrifice était consommé, et que ma sœur avait été saisie d'une fièvre ardente. Elle me faisait prier de ne plus chercher à la voir. Ô misère de ma vie! une sœur craindre de parler à un frère, et un frère craindre de faire entendre sa voix à une sœur! Je sortis du monastère comme de ce lieu d'expiation où des flammes nous préparent pour la vie céleste, où l'on a tout perdu comme aux enfers, hors l'espérance.

«On peut trouver des forces dans son âme contre un malheur personnel; mais devenir la cause involontaire du malheur d'un autre, cela est tout à fait insupportable. Éclairé sur les maux de ma sœur, je me figurais ce qu'elle avait dû souffrir. Alors s'expliquèrent pour moi plusieurs choses que je n'avais pu comprendre; ce mélange de joie et de tristesse, qu'Amélie avait fait paraître au moment de mon départ pour mes voyages, le soin qu'elle prit de m'éviter à mon retour, et cependant cette faiblesse qui l'empêcha si longtemps d'entrer dans un monastère, sans doute la fille malheureuse s'était flattée de guérir! Ses projets de retraite, la dispense du noviciat, la disposition de ses biens en ma faveur, avaient apparemment produit cette correspondance secrète qui servit à me tromper.

«Ô mes amis! je sus donc ce que c'était que de verser des larmes pour un mal qui n'était point imaginaire! Mes passions si longtemps indéterminées, se précipitèrent sur cette première proie avec fureur. Je trouvai même une sorte de satisfaction inattendue dans la plénitude de mon chagrin, et je m'aperçus, avec un secret mouvement de joie, que la douleur n'est pas une affection qu'on épuise comme le plaisir.

«J'avais voulu quitter la terre avant l'ordre du Tout-Puissant; c'était un grand crime: Dieu m'avait envoyé Amélie à la fois pour me sauver et pour me punir. Ainsi, toute pensée coupable, toute action criminelle entraîne après elle des désordres et des malheurs. Amélie me priait de vivre, et je lui devais bien de ne pas aggraver ses maux. D'ailleurs (chose étrange!) je n'avais plus envie de mourir depuis que j'étais réellement malheureux. Mon chagrin était devenu une occupation qui remplissait tous mes moments: tant mon cœur est naturellement pétri d'ennui et de misère!

«Je pris donc subitement une autre résolution, je me déterminai à quitter l'Europe et à passer en Amérique.

«Ma sœur avait touché aux portes de la mort; mais Dieu, qui lui destinait la première palme des vierges lui réservait aussi de mourir avant moi.

«Je ne sais ce que le ciel me réserve, et s'il a voulu m'avertir que les orages accompagneraient partout mes pas. L'ordre était donné pour le départ de la flotte; déjà plusieurs vaisseaux avaient appareillé au baisser du soleil; je m'étais arrangé pour passer la dernière nuit à terre, afin d'écrire ma lettre d'adieux à Amélie. Vers minuit, tandis que je m'occupe de ce soin, et que je mouille mon papier de mes larmes, le bruit des vents vient frapper mon oreille. J'écoute; et au milieu de la tempête, je distingue les coups de canon d'alarme, mêlés au glas de la cloche monastique. Je vole sur le rivage où tout était désert, et où l'on n'entendait que le rugissement des flots. Je m'assieds sur un rocher. D'un côté s'étendent les vagues étincelantes, de l'autre les murs sombres du monastère se perdent confusément dans les cieux. Une petite lumière paraissait à la fenêtre grillée. Était-ce toi, ô mon Amélie, qui, prosternée au pied du crucifix, priais le Dieu des orages d'épargner ton malheureux frère? La tempête sur les flots, le calme dans ta retraite; des hommes brisés sur des écueils, au pied de l'asile que rien ne peut troubler; l'infini de l'autre côté du mur d'une cellule; les fanaux agités des vaisseaux, le phare immobile du couvent; l'incertitude des destinées du navigateur, la vestale connaissant dans un seul jour tous les jours futurs de sa vie; d'une autre part, une âme telle que la tienne, ô Amélie, orageuse comme l'océan; un naufrage plus affreux que celui du marinier: tout ce tableau est encore profondément gravé dans ma mémoire. Soleil de ce ciel nouveau, maintenant témoin de mes larmes, échos du rivage américain qui répétez les accents de René, ce fut le lendemain de cette nuit terrible qu'appuyé sur le gaillard de mon vaisseau, je vis s'éloigner pour jamais ma terre natale... Je contemplai longtemps sur la côte les derniers balancements des arbres de la patrie, et les faîtes du monastère qui s'abaissaient à l'horizon.»

Comme René achevait de raconter son histoire, il tira un papier de son sein et le donna au père Souël; puis, se jetant dans les bras de Chactas, et étouffant ses sanglots, il laissa le temps au missionnaire de parcourir la lettre qu'il venait de lui remettre.

Elle était de la supérieure de... Elle contenait le récit des derniers moments de la sœur Amélie de la Miséricorde, morte victime de son zèle et de sa charité, en soignant ses compagnes attaquées d'une maladie contagieuse. Toute la communauté était inconsolable, et l'on y regardait Amélie comme une sainte. La supérieure ajoutait que, depuis trente ans qu'elle était à la tête de la maison, elle n'avait jamais vu de religieuse d'une humeur aussi douce et aussi égale, ni qui fût plus contente d'avoir quitté les tribulations du monde.

Chactas pressait René dans ses bras; le vieillard pleurait. «Mon enfant, dit-il à son fils, je voudrais que le père Aubry fût ici: il tirait du fond de son cœur je ne sais quelle paix qui, en les calmant, ne semblait cependant point étrangère aux tempêtes; c'était la lune dans une nuit orageuse: les nuages errants ne peuvent l'emporter dans leur course; pure et inaltérable, elle s'avance tranquille au-dessus d'eux. Hélas! pour moi, tout me trouble et m'entraîne!»

Jusqu'alors le père Souël, sans proférer une parole, avait écouté d'un air austère l'histoire de René. Il portait en secret un cœur compatissant, mais il montrait au dehors un caractère inflexible; la sensibilité du Sachem le fit sortir du silence.

«Rien, dit-il au frère d'Amélie, rien ne mérite, dans cette histoire, la pitié qu'on vous montre ici. Je vois un jeune homme entêté de chimères, à qui tout déplaît, et qui s'est soustrait aux charges de la société pour se livrer à d'inutiles rêveries. On n'est point, monsieur, un homme supérieur, parce qu'on aperçoit le monde sous un jour odieux. On ne hait les hommes et la vie que faute de voir assez loin. Étendez un peu plus votre regard, et vous serez bientôt convaincu que tous ces maux dont vous vous plaignez sont de purs néants. Mais quelle honte de ne pouvoir songer au seul malheur réel de votre vie sans être forcé de rougir! Toute la pureté, toute la vertu, toute la religion, toutes les couronnes d'une sainte rendent à peine tolérable la seule idée de vos chagrins. Votre sœur a expié sa faute; mais, s'il faut dire ici ma pensée, je crains que, par une épouvantable justice, un aveu sorti du sein de la tombe n'ait troublé votre âme à son tour. Que faites-vous seul au fond des forêts où vous consumez vos jours, négligeant tous vos devoirs? Des saints, me direz-vous, se sont ensevelis dans les déserts. Ils y étaient avec leurs larmes, et employaient à éteindre leurs passions le temps que vous perdez peut-être à allumer les vôtres. Jeune présomptueux, qui avez cru que l'homme se peut suffire à lui-même! La solitude est mauvaise à celui qui n'y vit pas avec Dieu; elle redouble les puissances de l'âme, en même temps qu'elle leur ôte tout sujet pour s'exercer. Quiconque a reçu des forces, doit les consacrer au service de ses semblables; s'il les laisse inutiles, il est d'abord puni par une secrète misère, et tôt ou tard le ciel lui envoie un châtiment effroyable.»

Troublé par ces paroles, René releva du sein de Chactas sa tête humiliée. Le Sachem aveugle se prit à sourire; et ce sourire de la bouche, qui ne se mariait plus à celui des yeux, avait quelque chose de mystérieux et de céleste. «Mon fils, dit le vieil amant d'Atala, il nous parle sévèrement; il corrige et le vieillard et le jeune homme, et il a raison. Oui, il faut que tu renonces à cette vie extraordinaire qui n'est pleine que de soucis; il n'y a de bonheur que dans les voies communes.

«Un jour le Meschacebé, encore assez près de sa source, se lassa de n'être qu'un limpide ruisseau. Il demande des neiges aux montagnes, des eaux aux torrents, des pluies aux tempêtes, il franchit ses rives, et désole ses bords charmants. L'orgueilleux ruisseau s'applaudit d'abord de sa puissance; mais voyant que tout devenait désert sur son passage; qu'il coulait, abandonné dans la solitude; que ses eaux étaient toujours troublées, il regretta l'humble lit que lui avait creusé la nature, les oiseaux, les fleurs, les arbres et les ruisseaux, jadis modestes compagnons de son paisible cours.»

Chactas cessa de parler, et l'on entendit la voix du *flammant* qui, retiré dans les roseaux du Meschacebé, annonçait un orage pour le milieu du jour. Les trois amis reprirent la route de leurs cabanes: René marchait en silence entre le missionnaire qui priait Dieu, et le Sachem aveugle qui cherchait sa route. On dit que, pressé par les deux vieillards, il retourna chez son épouse, mais sans y trouver le bonheur. Il périt peu de temps après avec Chactas et le père Souël, dans le massacre des Français et des Natchez à la Louisiane. On montre encore un rocher où il allait s'asseoir au soleil couchant.

LAMARTINE.

FIN DU TOME VINGT-SEPTIÈME.

Typ. de Rouge frères, Dunon et Fresné, rue du Four-St-Germain, 43.

Notes

Note au lecteur de ce fichier numérique:

Seules les erreurs clairement introduites par le typographe ont été corrigées. L'orthographe de l'auteur a été conservée.

Milton Keynes UK
Ingram Content Group UK Ltd.
UKHW011142220424
441551UK00007B/767